CW00669691

UN AMI
POUR LA VIE

DU MÊME AUTEUR

Aux éditions Grasset

LE PÉNIS ET LA DÉMORALISATION DE L'OCCIDENT (avec Jean-Paul Aron).
BOUVARD, FLAUBERT ET PÉCUCHET.

Aux éditions du Seuil

DIDEROT ET LE ROMAN, coll. Pierres Vives.
SUR LE CORPS ROMANESQUE, coll. Pierres Vives.
HOW NICE TO SEE YOU ! AMERICANA.
MŒURS : ETHNOLOGIE ET FICTION, coll. Pierres Vives.
DANDIES : BAUDELAIRE ET CIE, coll. Pierres Vives et coll. Points (Grand Prix de la Critique littéraire).

A l'U.G.E.

SUR LE DANDYSME, textes présentés par Roger Kempf.

Aux éditions Denoël/Gonthier

LES ÉTATS-UNIS EN MOUVEMENT (collectif *Médiations*, n° 1).

Aux éditions Vrin

KANT, ESSAI POUR INTRODUIRE EN PHILOSOPHIE LE CONCEPT DE GRANDEUR NÉGATIVE (traduction).
KANT, OBSERVATIONS SUR LE SENTIMENT DU BEAU ET DU SUBLIME (traduction).
KANT, CONTROVERSE AVEC EBERHARD (traduction).

ROGER KEMPF

UN AMI POUR LA VIE

roman

BERNARD GRASSET
PARIS

En souvenir
de Jean-Paul Aron

— Enfin, pardonne-moi d'insister, on ne rompt pas comme ça. Il doit bien y avoir eu quelque chose. Je n'en démordrai pas.

— Je vais y réfléchir, passer en revue nos frictions et nos doléances... Ne me bouscule pas ! Tu auras ton content de détails et de suppositions.

— Tâche de te rappeler un rien qui l'ait chiffonné, un mot, une babiole...

— Une simple moue aurait fait l'affaire. Oui, ce pouvait n'être qu'un rien, ou des riens additionnés.

Un soir, sortant de chez Denise, il s'est emporté contre un type qui l'aurait nargué tout au long du dîner.

— Je ne suis pas surpris : il lui arrivait, au restaurant, j'en ai été le témoin, d'épier son vis-à-vis, d'être dévisagé à son tour et de s'en courroucer.

— Laisse-moi finir! Comme j'étais occupé à assaisonner la salade, je n'ai rien remarqué, sinon, peut-être, un froncement des narines qui, d'après mon expérience, signifiait que ses voisins étaient imbuvables et la soirée fichue.

Il s'amenait généralement en imperméable, un Burberrys lustré qu'il gardait une dizaine de minutes, le temps d'identifier les invités. « Je te l'enlève, susurrait Denise, inquiète pour le velours clair de ses fauteuils. On a chauffé pour toi. »

Quand il apercevait une nouvelle tête, tiraillé entre la curiosité et le dépit, il se raidissait avant de consentir un bonsoir qui était comme une perche tendue. Son humeur encore indécise, l'entrain qu'il mettrait à la conversation, se déterminaient dans cet instant. « N'est-ce pas, me disait-il, le grand mystère des sympathies et des antipathies? Elles sont fulgurantes, et, pour notre malheur, si rarement réciproques. » Ainsi, des hostilités se déclenchaient d'emblée, le plus souvent à sens unique, et s'aggravaient sourdement, sans qu'aucune parole fût prononcée.

— Mais en rentrant de chez Denise?

— Je me suis gardé de tout commentaire. Je lui restais acquis dans les vrais périls, n'était-ce pas l'essentiel ? Pour les broutilles et les caprices, j'en avais eu ma claque et ne m'en froissais plus guère. En me déposant rue Chomel, il m'a congédié de son couplet habituel : « Va, une fois encore, tu te ris de ce qui touche ton ami ! »

— Et vous ne vous êtes plus revus.

— Comme tu y vas ! Dès le lendemain matin. Chaque samedi, nous faisions nos courses ensemble, chez Poilâne, Pulcinella, Barthélemy, dans cet ordre auquel il était attaché. Pour rien au monde, il ne m'aurait accordé de commencer par la rue de Grenelle pour conclure rue du Cherche-Midi : « Mes voies sont toutes tracées et je n'ai plus l'âge d'en changer. En dehors de mon travail, je suis, je le reconnais, totalement dépourvu de fantaisie. Vois ce que je vais manger ce soir, demain, après-demain : un œuf à la coque, de ceux que Madame Bibard, je devrais dire ma mie, reçoit de l'Aveyron, un peu de charcuterie, un morceau de saint-nectaire, une boskoop par raison. » Son médecin lui avait détaillé la valeur de ce régime en protides, lipides, glucides. Rien n'y manquait. Il s'y tenait scrupuleusement. Sa santé, quand j'y pense, quel tintouin, quels discours! Jamais d'alcool avant les repas, un verre de bordeaux à table, ni plus ni moins, pas de café l'après-midi... C'est ça qui me fait mal aujourd'hui! Il nous aurait enterrés tous!

— Et c'est le même qui se moquait de ton agenda?

— Il considérait comme petit-bourgeois de noter l'emploi de ses journées. Je précise, à ma décharge, que mon agenda ne servait pas qu'à cela.

— En somme, à part les bisbilles ordinaires, pas d'incident majeur jusqu'à ce que tu tombes, par hasard, sur cette interview.

— Si pourtant, un obscur camouflet. Nous avions rendez-vous chez moi, en juillet dernier, vers 20 heures, ce qui nous laissait le temps de bavarder. A 21 heures, personne! Pulcinella étant fermé, il ne pouvait s'agir d'un banal retard. Du reste, avec les années, il était devenu d'une parfaite ponctualité, moins par courtoisie que par crainte des représailles. Il détestait attendre.

Je suis descendu vérifier le fonctionnement de l'interphone. Avait-il oublié? C'était peu probable. Et, surtout, avec la connaissance que j'avais de lui, je savais qu'entre 8 et 9 heures du soir il éprouvait le besoin de se détendre, de se mouiller le visage, de souffler, comme il disait, soit chez lui, ne fût-ce qu'un quart d'heure, soit chez moi, nulle part ailleurs. Mon appartement lui servait d'escale.

A 23 heures, j'ai glissé dans la grille ce message : « Rejoins-moi dès que possible à la brasserie du Lutétia. Que se passe-t-il donc ? » Puis j'ai barré le « donc » qui l'aurait ulcéré. Enfin, j'ai adouci la phrase : « Rejoins-moi au Lutétia, à moins que tu ne sois trop fatigué. » C'était aimable, non ?

— Je devine la suite : ce billet est resté à ta porte.

— Cela ne prouvait rien encore. Seule comptait la matinée du lendemain. Je me persuadais qu'il m'appellerait dès 9 heures pour déplorer emphatiquement un empêchement majeur, unique dans notre histoire. Tout serait rentré dans l'ordre ; je ne suis pas susceptible. Mais il ne m'appartenait pas, à moi l'offensé, de prendre les devants. A quoi bon ?

Si je n'ai pas flairé le pire, c'est que ce comportement était singulier. Quand d'autres laissent s'effilocher ou refroidir les liaisons qui leur pèsent, lui rompait à brûle-pourpoint, avec éclat, jamais par omission, et se félicitait ouvertement d'avoir simplifié sa vie en se délestant de deux ou trois poids morts. Il coupait propre et net.

Un soir, il m'annonce : « Comme le vieux Goriot, je retrouve mes dents. Je viens de larguer Poussin. Il a l'esprit retors d'un protestant belfortain, puritain et pervers. Il ne méritait pas mon amitié. »

Un autre soir : « J'ai concocté pour Bénézit quatre lignes admirables que j'avoue, dans leur mesure et leur politesse extérieure, d'une rare férocité. Ou il cherchera, mais ce ne sera pas facile, à regagner mon cœur, ou je trancherai dans le vif. »

Certains de ces foudroiements le laissaient aussi hébété que ses victimes. Il se plaisait à méditer, après coup, devant moi, les yeux mi-clos, sur le fait accompli : « Remis de mes vertiges anciens, j'ai beaucoup réfléchi à l'étrange périple de Bertrand : fils d'un riche filateur du Nord, membre des Jeunesses communistes, couchant avec ses deux frères, puis avec sa belle-sœur. J'ai songé à l'un de ses propos, lors de nos scènes affreuses : "Tu veux m'abandonner !" Ce mot revenait comme une gifle. Il ne trouvait rien d'autre à répondre. Maintenant que tout est consommé, je saisis son manège : il entendait me convaincre que je ne pouvais l'exclure véritablement, puisque le monde où je l'avais introduit était le sien. Comportement passionnel, qui ne me promet que de la haine. Ce qu'il veut, c'est que je sois lâché à mon tour, et sur tous les plans. Il cherchera à me détruire. »

Sur Tom Poimbœuf que tu as connu, qui avait été son élève, il m'avait dit, mot pour mot, au téléphone — tiens, regarde, j'en ai pris note : « Je crains d'éclabousser mon passé en me mettant en colère. Je crains de devoir démolir ce gamin. Son inactivité, son inefficacité, sa joliesse de pacotille ne me desserviront pas, si vraiment il m'y contraint. Ce jour-là, je ne m'arrêterai pas en chemin. »

Cet agenda qui me tenait lieu de journal, je ne l'ai pas rouvert depuis des années. L'ennuyeux, c'est que je ne comprends plus ce qu'il entendait par là... Pourquoi « éclabousser mon passé » ? Quel rapport entre son passé et sa colère ? Une désillusion, un constat de gâchis ? Et pourquoi « ne me desserviront pas » ?

— C'est comme à la fin de *l'Avventura*, des mots, un passé devenus lettre morte...

— Sauf qu'il s'agit d'amour, non de menaces dans le film d'Antonioni. Encore que, pour Poimbœuf... Il faudrait s'appliquer au détail... Sur le détail, je n'ai jamais rien su. Il me semblait que c'était mieux ainsi. Ce qui ne m'empêchait pas de le mettre en garde : le petit Poimbœuf n'avait pas seize ans. Il en a trente aujourd'hui et n'a pas vendu la mèche.

Je n'étais pas logé à l'enseigne éphémère de Tom ou de Poussin et pourtant il m'avait tenu ce même langage un été que nous étions en froid. Pour quelle raison ? Ne m'en demande pas trop. Je pouvais l'avoir contrecarré devant des tiers. Dans ces cas-là, il marmonnait : « Je ne réponds pas de l'avenir ! »

Je doutais s'il me rejoindrait à Saint-Jean-de-Luz où mes parents l'invitaient régulièrement, jusqu'à ce que m'arrive une lettre où il me disait à peu près ceci, dans une langue plus contournée encore :

Au terme de la scène lamentable que nous eûmes chez Denise, j'ai laissé échapper, sur les raisons qui me feraient peut-être, malgré tout, venir à Saint-Jean-de-Luz, des choses que je ne pensais pas. Attache à ce que je vais préciser une importance extrême : ce n'est en effet ni par quelque détermination irrationnelle, ni (ce qui eût été, à ce voyage, un légitime mobile) parce que ma famille se fût étonnée au plus haut point de m'y voir renoncer, et m'aurait posé des questions, ni (autre motif de départ) parce que j'aurais décidé, depuis des mois, de prendre des vacances, combien méritées, après tant d'émotions et de fatigues, ce n'est pour aucune de ces raisons que je te rejoindrai en définitive. Je viendrai, et je souligne ces mots qui surgissent du fond de mon cœur, parce que, malgré ma tristesse, mon amertume, ma juste colère, je serais un salaud, je le confesse, si, pour un incident, si grave fût-il, je rayais de ma mémoire les années écoulées. Oui, je l'avoue, si même tu t'étais montré, depuis notre rencontre, encore plus inamical, encore moins affectueux, je n'aurais pas le droit de briser avec un passé riche de tendresse, légitime ou non. Briser, je l'aurais fait, si, délibérément, j'avais résolu de passer l'été à Paris. Je ne puis, aujourd'hui, qu'accepter une hospitalité dont j'espère que tu me jugeras digne sur le plan de la pure civilité. Je serai donc calme et conciliant. Mais je voudrais que tu saches que le passé d'une amitié profonde vaut pour moi plus que par sa seule signification de passé.

Tout risque de rupture semblait écarté lorsque, à l'automne, toujours chez Denise, notre sœur nourricière, je me rends coupable d'une indélicatesse inouïe. Denise avait pris son thème sur les hommes indésirables à vingt ans et qui, les tempes grisonnant, se bonifient à cinquante. Je le regarde en riant : « Ce que tu pouvais être moche à dix-huit ans ! » Or, je ne l'ai jamais trouvé laid, malgré sa calvitie, sa barbe mal rasée, par économie de lames, son nez d'inquisiteur espagnol et ses oreilles en feuille de chou. J'avais cru plaisanter ; ma remarque était exécrable. J'attendais qu'il me fustigeât en conséquence. J'aurais encaissé tous les coups. Mais il ne réagissait pas. Enfin, dans le taxi qui nous ramenait : « Jamais, je ne me remettrai de l'humiliation que tu m'as infligée. Mieux vaudrait, après cela, que nous ayons la sagesse de nous séparer. Pourquoi vivre dans le souvenir, détestable, d'une pareille soirée ? Entendre tenir, par mon plus cher ami, crûment, publiquement, et, ce qui est pire, devant une amie, Denise, qui ne tarit pas d'éloges sur notre complicité, des propos dont je mourrais de honte devant qui que ce soit ! Et ce mot de Nicolas : "Il y arrive presque !" (s'agissant de l'âge où je deviendrai potable). Sache que je n'ai pas l'intention de jouer la comédie du détachement irrémédiable. J'éprouve un terrible chagrin, voilà tout. Mais si tu m'aides, si tu as la gentillesse, au moins celle-là, de m'écouter, nous pourrons, sans mélodrame, prendre congé l'un de l'autre. » Son calme m'épouvantait.

— Je ne doute pas que cette scène, s'ajoutant à d'autres, de moindre gravité, n'ait fait boule de neige, du moins dans son esprit.

— Plus tard peut-être. Nous ne passions pas notre temps à nous affronter. Scène n'est d'ailleurs pas le mot juste. Il s'agissait plutôt d'un incident. Les scènes, m'expliquait-il dans les moments de sérénité, sont sans fondement. Elles ont l'arbitraire et la beauté des œuvres d'art. Chez Denise j'étais coupable et il ne me faisait pas de scène.

— Soit! Je ne juge pas, je m'intéresse aux mécanismes. Revenons en arrière : il n'y avait pas que Bénézit ou Poimbœuf.

— Avec Poussin ou Claude François qui lui devaient tout, y compris leurs cravates zazoues, qui n'étaient rien avant de le connaître, l'expression « laisser tomber » lui paraissait la plus pertinente. Il l'accompagnait d'une chiquenaude verticale — un claquement, assez commun, du pouce et de l'index — qui le remplissait d'aise. Il les dropait, leur retirait ses faveurs, les replongeait dans le néant. Un instant, pour en prendre pleine mesure, il feignait de s'apitoyer sur leur drame : les malheureux ne peindraient plus, n'écriraient plus, échoueraient à leurs examens, ne seraient plus aimés. Cependant je l'interrogeais sur leurs torts. Lui-même les ignorait. Il s'était détaché. Le temps avait fait son œuvre. Mais les bannis interjetaient appel, quémandaient des explications, sollicitaient un entretien, de quelques minutes seulement, en n'importe quel lieu, escomptaient encore un raccommodement, certains qu'ils étaient de n'avoir commis aucun crime. A chacun il répondait : lisez donc dans Diderot l'histoire de Mademoiselle de La Chaux et vous admettrez que j'ai cessé de m'intéresser à vous sans savoir pourquoi.

Sans doute, lui et moi, c'était autre chose. Je ne serais jamais l'objet d'un de ces ukases. Mais il faisait le mort, ce n'était pas son style. Il n'était pas malade et n'avait pas quitté Paris. On l'avait aperçu au Flore, pour des œufs sur le plat, puis chez Lipp, à la meilleure table, l'air enjoué, se cambrant pour couper un cigare.

Rien ne m'aurait été plus facile que de l'atteindre chez lui le matin — il ne sortait jamais avant midi — ou de le guetter, un samedi, à l'étal de Pulcinella. Il aurait mieux valu ! Espérant qu'un mot provoquerait un déclic, un réveil, je lui réclamai l'adresse de Gisela von Wartburg, la nièce du grand philologue, avec qui je souhaitais reprendre contact. Sa réponse n'a pas tardé, je la connais par cœur : « Mon cher, Gisela est au 12, rue de la Chaise, à deux pas de chez toi. Tu me l'avais appris. L'aurais-tu oublié ? Bien à toi. »

C'était parfaitement clair. J'étais atterré.

— Pourquoi donc ?

— Mais voyons, le « mon cher », le « bien à toi », ces locutions de tout le monde, nous ne les empruntions que pour rire. N'est-ce pas lui qui m'avait convaincu de dénommer « *mon* cher Marcel » un odieux cousin, et de gratifier de « cher Marcel » un ami du même nom ?

Lui qui m'abreuvait des appellations les plus tendres : cher Amphioxus, petit poulet gris aux oreilles roses, coquelet à l'orange, lapin farci, loup-garou, gros chéri, cher grand moqueur, vieux coco, pauvre chou, biquet des îles... J'en possède la liste exhaustive. Il ne s'exprimait pas autrement.

Lui que révoltait, dans une de mes lettres,

un « très affectueusement », plate formule pour parents éloignés : « Je pensais que quelque chose de plus profond nous unissait ! »

— Ce n'était pourtant pas tiède. Qu'est-ce qu'il aurait préféré ?

— Que le mot « tendrement », implicitement contenu dans la chair même du message, émergeât en conclusion non comme un cliché, mais comme le développement d'une essence. Ou, pour être clair, que je termine à sa fantaisie : « Je couvre de baisers tes nageoires en loupe d'orme et tes facettes en verre du Japon. »

— Le tarabiscotage ! Il te cherchait. N'est-ce pas alors que paraît l'interview ?

— Pas encore. Mais, entre-temps, au mépris de mes résolutions, j'ai la faiblesse de lui téléphoner. La faiblesse et l'audace. J'avais rédigé un court préambule que je tenais à placer lestement, pour n'être pas coupé : « Qu'est-ce qui se passe ? Nous avions rendez-vous il y a plusieurs mois, un rendez-vous dont tu avais pris l'initiative et fixé la date et l'heure. Or, non seulement tu m'as fait faux bond, mais je suis, depuis, sans nouvelles. »

Lui, très posément — mais sans nul doute blanc comme un linge —, et détachant chaque mot : « C'est exact. J'ai bonne mémoire, comme tu sais. Je t'avais proposé de te retrouver chez toi le 6 juillet, à 20 heures. » Puis, d'une voix hargneuse que je ne lui connaissais pas : « Seulement voilà, mon petit bonhomme (ce n'était pas du tout son langage), n'attends pas que je me dépèce en excuses. Je tenais à t'administrer une leçon, ha! ha! » Ce n'était plus lui!

Sous le coup de cette apostrophe, tellement insolite, je sentais que je serais incapable de contrer ni même d'enregistrer quoi que ce soit de ce que j'entendrais. Mon oreille bourdonnait d'accusations et d'invectives dont je ne saisissais plus le sens : « Pauvre con, pauvre imbécile, tu ne t'es pas rendu compte que tu étais sorti de mon cœur! »

Cette image, du moins, m'était familière. Chaque fois que je lui confiais un attachement naissant, il me mettait en garde : « Gare, gare, *vade retro*, il en est temps encore. Je ne suis pas maître de mon cœur. Si tu en sortais, je ne pourrais plus rien pour toi, quand bien même je le voudrais. » Comme j'avais disparu de son cœur, il m'enjoignait de ne plus reparaître dans sa vie.

— On ne rompt pas comme ça, sans préparation. Il doit bien y avoir eu autre chose, une alerte, un avertissement.

— Je ne te cache rien. Il m'avait écrit : « Nul n'ignore que, bien souvent, à une passion violente et même longue succèdent l'indifférence et l'oubli, en tout cas l'oubli "pratique", "efficace", car l'oubli affectif est extrêmement rare. » Y avait-il là de quoi s'inquiéter ?

Un autre jour, à notre retour de vacances, il m'avait adressé une lettre si drôle que je l'avais mise sous verre. Chez moi, il la déclamait, pouffant aux larmes, puis me serrant étroitement. La voici :

Mon cher,

En te voyant t'éloigner hier, sec et froid, j'ai compris qu'il y avait quelque chose de cassé entre nous. Mais tu aurais tort de te targuer d'un si faible avantage, ton refroidissement à mon endroit n'étant, en dernière analyse, qu'une manifeste conséquence de ma propre évolution psychologique. C'est parce que tu m'as senti détaché que tu as joué l'indifférence. Ne me crois pas dupe de tes sentiments réels. Peu me chaut qu'une souffrance atroce te dévore : je n'ai plus pour toi le moindre penchant. La vie change, mon cher, pour toi comme pour tout le monde.

Reçois mes salutations distinguées.

P.S. : Veuille ne plus m'écrire. D'ailleurs, ce n'étaient pas des lettres!!!

— Il simulait la rupture!

— Patience! Le lendemain, je recevais une tout autre missive :

Monseigneur,

L'Amitié dont m'honore Votre Altesse Royale est si précieuse, elle comble mon âme d'un sentiment si délicieux, qu'en les heures douloureuses de ma vie où je songe à désespérer de moi-même, je prie Dieu qu'elle me soit conservée à jamais. Ce vif attachement dont les ans n'ont pas affaibli l'ardeur semble un bienfait du Ciel et me marque de sa générosité infinie. La gloire de Votre Altesse, les charmes de Sa personne, les dons de Son esprit, les qualités de Son cœur traduisent, à mes yeux éblouis, la médiocrité de mon sort. Mais, comme si l'Amitié, en sa divine ferveur, se riait d'une si flagrante inégalité de talents, ou qu'elle se fût donné pour dessein d'en réparer l'outrage, elle offre, prodigue, à mon âme ravie, la confiance de Votre Altesse et l'insigne faveur de Son intimité.

Monseigneur, permettez que cette lettre, dont la forme imparfaite et la pensée confuse devraient m'accabler, fût au moins l'humble témoignage de la tendresse des sentiments avec lesquels j'aspire à demeurer

de Votre Altesse Royale le très aimé et dévoué serviteur.

— Les deux lettres s'annulent en effet. Je voudrais que tu me reparles de ton téléphonage. Il a bien duré une demi-heure ?

— Beaucoup plus. Je me souviens d'avoir raccroché, abasourdi, peu après 4 heures.

— Il s'est donc, deux heures durant, emporté avec des mots qui devaient exprimer aussi des griefs précis. Lesquels ?

— Me chargeant, pour commencer, d'avoir rechigné, trente ans plus tôt, à lui offrir, dans une pâtisserie proche de l'université, des religieuses ou des éclairs au chocolat. La seule vue d'un gâteau réveillait en lui les goinfreries de la petite enfance.

« Je n'avais pas le moindre argent de poche ! — Menteur ! Tu es ignoble ! » J'allais ajouter que cet achat, de toute façon, m'aurait mis en retard ; mon père ne l'aurait pas toléré. Nous déjeunions à midi tapant, lui jamais avant 13 heures, ce qui me paraissait le comble du chic. Mais il ne m'entendait plus. Sa voix s'enflait pour couvrir la mienne et voler vers d'autres contentieux.

— Lesquels ?

— Des époques se télescopaient. A Tourette où nous avions loué une maison — à trois, un désastre ! —, j'étais entré dans la salle de bains où Poussin, son tourtereau, achevait sa toilette.

« C'est toi qui m'y avais poussé ! — Sale menteur ! Il te faisait envie, avoue-le donc ! »

— Il te faisait envie ?

— Souvent, il me peignait, la gorge serrée, les charmes de son protégé. Comme ces jeunes gens attendant d'un proche quelque peu réticent qu'il endosse le choix d'un amant ou d'une maîtresse, il briguait ma caution.

« Il a une jolie frimousse, une allure folle ; le reste est à l'avenant. Tu en jugeras sur pièces, le moment venu, dès qu'il sera sorti de la baignoire. Un minuscule derrière, aucune fille n'en a de pareil, surtout pas Gisela, deux clémentines, non, plutôt des kumquats de chez Fauchon, toi qui en raffoles... »

A présent, il aboyait. J'éloignais le récepteur et le reprenais alternativement, dans l'attente d'une improbable accalmie. Il était allé trop loin.

« Tu n'es pas dans ton état normal. Je préfère te laisser. — Dans mon état normal ? Mais tu radotes ! Rassure-toi, je suis parfaitement lucide. Jamais je n'ai été plus maître de moi. »

Martine est entrée avec les enfants. La voix s'était tue que je me tenais encore devant le téléphone, figé comme par un arrêt du destin. « Tu as l'air tout chose. Il va bien ? Vous ne vous voyez guère ces temps-ci. » Elle ne l'aimait pas, n'étant pas libre de l'aimer. Bien avant notre mariage, on l'avait prévenue : cette amitié était sainte, unique, intouchable, un couple en un certain sens, plus fort même que l'ordinaire.

— C'est bien ce qu'il suggère dans son interview : « une relation exemplaire fondamentale et aujourd'hui cassée ».

— Tiens, je pensais qu'il avait dit « rompue ». « Cassée » est moins plat. Le mot tombe comme un couperet. Mais cassée pourquoi, par qui ? Son propos, certes, ne dénonçait personne, mais je pressentais que cette indétermination tournerait à son avantage. On le savait gravement atteint. Il maigrissait à vue d'œil.

Me soupçonnerait-on de l'avoir lâché par peur de la contagion? Il en disait trop et trop peu. La preuve, c'est que les lettres ont afflué : de curieux avides de détails, de jaloux que la nouvelle ravigotait, mais aussi de sceptiques qui l'avaient entendu chanter : notre amitié est une forteresse imprenable, *eine feste Burg,* comme dans la cantate de Bach. Décontenancés par ce divorce, les uns et les autres se tâtaient sur le parti à prendre. Pour moi, je ne soufflais mot. Beckett, entraperçu à la Closerie des Lilas, m'avait glissé à l'oreille : « C'est, sinon méchant, du moins indiscret, très indiscret. Tout cela aurait dû rester entre vous. »

— Dans les mois qui ont précédé ces divers événements, je suppose qu'il n'était plus tout à fait le même...

— Il m'a fallu ces épreuves pour en rassembler les signes. Tu aurais tort de les juger puérils. Ainsi, quand il venait me voir, il s'attardait sur le palier, à m'étreindre et à me tapoter le dos interminablement. Ce rite me déplaisait, parce qu'il abrégeait de plusieurs minutes le temps si précieux de nos conversations. Sans le brusquer, je retirais doucement son imperméable : « Entre, toi qui crains les courants d'air! » Mais lui, se détachant avec majesté :

« Allons, il y en a toujours un qui aime davantage ! » Or, c'est à cela que je voulais en venir, d'une semaine à l'autre, sans que je puisse alléguer aucune circonstance particulière, plus rien, plus la moindre effusion. Au mieux, une pichenette sur l'épaule. L'air absent et affairé, les lèvres pincées, il allait droit vers mon bureau, bousculait, sans les examiner, les lettres et les livres, puis les rempilait machinalement, avant de s'affaler dans un fauteuil : « Quelle journée j'ai eue, mon Dieu, quelle journée ! Et tous ces ennuyeux qui me tannent ! Et les Bernheim qui me débectent avec leurs cocktails ! Enfin, pour ce que ça leur coûte ! Et si peu de plaisirs, si peu de bon temps, toutes ces corvées depuis tant d'années ! Rappelle-toi nos fous rires, sur les bancs de l'université, quand Girard tirait de sa serviette, en même temps qu'une paire de cervelas, son casse-croûte, ses notes sur la philosophie de l'histoire. Pour ne pas pouffer, je me pinçais la cuisse jusqu'au sang. Et quand, nonobstant ma douleur, je risquais d'éclater, je me représentais les choses les plus tristes : la mort de ma mère, mon échec au concours, mon inculpation pour outrage aux mœurs. Il y a des mois que je ne ris plus ! »

Apercevant sur ma table un volume de Barbey d'Aurevilly : « Ces gens-là qui se couchaient tard et se levaient bon matin — Barbey se bichonnait dès 8 heures, plus tôt parfois — trouvaient le temps d'écrire, de flâner, de ripailler, d'attraper la vérole. Par rapport à nous, c'était encore l'Ancien Régime ! »

— Mais votre relation touchait à sa fin !

— J'en suis aux vestiges. Nous avions toujours, la gaieté en moins, de vraies conversations. Par exemple, nous nous accordions à soutenir que l'époque des fortes amitiés, comme le dix-neuvième siècle en avait connu, et plus particulièrement les romantiques allemands, était révolue ; que le téléphone ou le fax n'incitaient pas, comme autrefois la lettre, avec sa longueur de temps, aux emportements et à la mélancolie des confidences. Je relisais à ce propos trois pages de Kleist à Ernst von Pfuel, d'une belle hardiesse. Chez Denise, nous avons, d'une même voix, argumenté contre une coterie de cuistres qui objectaient non seulement que l'auteur du *Prince de Hombourg* ignorait le téléphone, mais qu'ils n'avaient cessé, eux, d'écrire des lettres. Il l'avait très mal pris : « Eh bien, vos correspondants sont comblés ! Je ne reçois, moi, que des factures et des avertissements : EDF, France-Télécom et tutti frutti! » Oui, la conversation était sauve, sur les grands sujets, bien qu'il ne fût plus question ni de notre œuvre, ni d'une vie ensemble dont nous reculions craintivement l'échéance depuis le jour de notre rencontre.

— Quel était le sujet de cette lettre ?

— Gisela, qui terminait une thèse de littérature allemande, me l'avait donnée à traduire. Kleist a vingt-huit ans. Ernst, son camarade de régiment, son ami, est un peu plus jeune. « Quand tu plongeais sous mes yeux dans le lac de Thoune, lui écrit Kleist, je contemplais ton beau corps nerveux avec des yeux de fille. J'aurais aimé, comme au temps des Grecs, m'étendre auprès de toi. »

La carrière d'Ernst von Pfuel est prestigieuse : général, Premier ministre, ministre de la Guerre. Il meurt très âgé, quand Kleist se suicide, à trente-quatre ans, avec Henriette Vogel, sa compagne.

— Voilà donc ce qui l'émoustillait dans Kleist! Mais lui et toi ?

— Des bruits couraient, autour de nous, dans nos familles, qu'il aurait été vain de démentir : on ne nous aurait pas crus. Il nous arrivait même de faire semblant, pour n'avoir à détromper personne. En Grèce, au Maroc, on se voyait nus dans la chambre, des après-midi entières, tant il faisait chaud. Mais rien de plus, jamais rien ! Ç'aurait tout gâté !

Un vieux souvenir : nous nous promenions sur les remparts de Carcassonne. Il me prend la main, mais pas comme d'habitude : « Je voudrais que tu m'apprennes... Il n'y a qu'à toi que je puisse le demander... » Je n'en revenais pas : il allait avoir vingt ans. Il est vrai qu'il n'avait été ni louveteau ni scout et que le plus jeune de ses frères, le moins dégourdi, avait dix ans de plus que lui.

« Il y a quelque temps, je me roulais en short, sur mon lit, avec le petit Meier, le fils de l'assistant de mon père. Malheureusement, ma mère s'en est mêlée. »

En deux ou trois phrases, à contrecœur, je lui fournis les rudiments. Peut-être que, dès ce moment-là, il convoitait l'impossible. C'était très gênant, très ennuyeux pour l'avenir. J'avais projeté notre union comme la voie droite que désigne le livre saint et je la voyais bifurquant vers d'absurdes complications. Un quiproquo me revenait en mémoire. A la veille des grandes vacances, j'avais été suivi, dans une rue de mon quartier, par un cycliste roulant au pas et dont j'appréhendais, dans mon dos, l'insistance.

Il s'arrête à ma hauteur. C'était lui! Nous nous regardons, également sidérés. « Ça, par exemple, je te croyais chez toi! Tu mènes une vie de bâton de chaise! A cette heure-ci, tu es toujours chez toi. Cela étant, oserai-je t'avouer qu'ayant cru distinguer dans la pénombre un ravissant petit postérieur, je m'étais rapproché, plus pour le spectacle que pour la négociation. » Sa confusion me rassure. Je le mets à l'aise : « Je venais justement de lire, dans le *Figaro*, que Lars Brandt, fils de l'ancien Chancelier, avait, à l'âge de seize ans, suscité l'indignation de la Bavière en exhibant son derrière nu dans un film inspiré d'une nouvelle de Günter Grass. »

— Comme c'est inattendu, cette histoire de chasse à bicyclette. Je le croyais, au contraire, pudique et timoré.

— Oui et non. Il se faisait violence pour ne pas le paraître. Ainsi jurait-il, au sein même de sa famille, qu'il dépucellerait dans les six mois Bernadette Alexandre, sa cousine de Tours : « Dans ce gros tas de graisse, je serai enfoui tel le kangourou nouveau-né dans la poche marsupiale de sa mère. »

Le jour où il attrape je ne sais quelle saleté dans un recoin de la Faculté des sciences, il se console d'une référence philosophique : « Bien que j'aie échappé au *Treponema pallidum*, la matière, chez moi, grouille de vie, comme dans la *Monadologie* de Leibniz. »

Une métaphore par-ci, un renvoi par-là, et il passait outre.

— Outre à quoi ?

— A ses microbes, à sa misère. Il n'était pas loin de concéder à Grégoire le Grand que le corps est l'abominable vêtement de l'âme.

— Mais ce changement dont tu me décrivais les symptômes ? Nous l'avons perdu de vue.

— Il avait ses avantages : je recouvrais une liberté. Jusqu'alors, je n'avais eu l'entière disposition que de mes matinées. Du déjeuner au coucher, mes heures étaient par lui passées au crible, remplies, corsetées.

« Que vas-tu faire de ton mercredi après-midi ? Tu devrais en profiter pour revoir au Louvre — le 39 t'y conduira en deux coups de cuiller à pot — les grandes machines de Delacroix. Mettons que cela t'occupe de 2 à 4, c'est largement suffisant. Sur le chemin du retour, tu t'arrêteras à Saint-Sulpice où tu te représenteras, toi qui l'as rencontré dans Baudelaire, le vieux peintre sur ses échafaudages, affligé de torticolis, éreinté par la *Lutte de Jacob avec l'ange*. Il sera 5 heures tout au plus. Ensuite, si j'étais toi... » A priori, dénué d'instructions, je courais à ma perte.

— Aïe! Il te disait : « Si j'étais toi... »

— C'est vrai que c'est énorme, je n'y prenais pas garde, les parents, les amis qui murmurent : à ta place, je changerais de métier, de femme, d'amusement. Donc, me dit-il, « si j'étais toi, je rentrerais rue Chomel, le temps de préparer une tasse de thé et d'enfiler le merveilleux blazer de Poole pour aller faire un tour chez Lipp au meilleur moment ». C'est là que j'ai rencontré et redécouvert Judith Nelson avec qui j'ai passé la soirée, la nuit et même la journée du lendemain, ce qui l'a terriblement agacé, bien qu'il me l'ait reproché avec une sérénité de parade, sur le ton de l'examinateur sévère et juste : « Tu sais que je n'interviens jamais dans des plaisirs qui ne sont pas de mon ressort. Libre à toi, si peu empressé avec ton ami, de coqueter avec Miss Judith qui, par parenthèse, s'expose bêtement au soleil. Vois ses taches de rousseur, à moins que la passion ne t'aveugle. Mais enfin, et ce sera mon dernier mot, cela ne s'imposait pas, non, vraiment pas. Il n'y avait pas le feu. Tu aurais pu saisir une autre occasion. Je te regarde conter fleurette sans rien entreprendre de sérieux, sur le plan du travail, s'entend. Mais ce qui m'irrite plus que tout, c'est la manie que tu as de voiturer les gens, chez eux ou chez toi, ton côté Vincent de Paul ! N'attends pas que j'opine du bonnet ! »

Il se dominait, mais je le connaissais trop pour ne pas subodorer que cette passade, car ce n'était pas encore de l'amour, le dérangeait en profondeur, dans ses habitudes, par identification. En khâgne, il avait épaté sa classe par une dissertation peu banale sur *l'Avare* de Molière, sur l'avarice en général. L'idée était celle-ci : contrairement à ce qu'on s'imagine, l'avare est parfaitement désintéressé. Tout en renâclant à la dépense, il ne nous incite pas à puiser, fût-ce pour lui, dans notre cassette. Tu vois le rapport ?

— Pas pour le moment. J'y penserai. C'était donc un être d'habitudes, probablement casanier.

— Tu as compris. Judith était un voyage. Il détestait les voyages. Écoute ce qu'il m'écrivait de Gstaad où, contraint et forcé, il avait suivi sa famille : « Dire que Gstaad est emmerdant me fait une belle jambe, car il y a, hélas, beaucoup d'authenticité dans certaines merdes. Mieux vaudrait dire “emmiellant”, ou, pour emprunter aux animaux les ressources de leur nature, “embousant”, “encrottinant”. Gstaad, à ce titre, ne le cède en rien à Sainte-Marie-aux-Mines, le berceau de ma pauvre grand-mère. »

— Pourtant, il évoquait avec plaisir ses week-ends en Suisse.

— C'est que l'accompagnaient Poussin, Poulet ou quelque autre volatile — que je cite chronologiquement, dans l'ordre de sa désaffection. Néanmoins, pour ôter à son dépaysement, il ne descendait que dans des hôtels Rössli, moins chers que d'autres, et dont le nom, un diminutif germanique, peint en gothique, lui inspirait confiance. Bien qu'il n'y ait pas de chaîne Rössli, pas plus que du Lion d'Or ou du Cheval Blanc, il affirmait que tout hôtel Rössli tenait ses promesses, que les draps y étaient blanchis sous les cendres, et, surtout, les lieux impeccables. Partout ailleurs, il se méfiait. De Florence, il se rappelait une chasse d'eau défaillante, de Djerba un lavabo bouché. Aussi ne prenait-il jamais possession d'une chambre sans avoir personnellement vérifié la marche des sanitaires. Imagine-le s'enfonçant, l'index soupçonneux, dans le cabinet de toilette, et réapparaissant radieux. Alors seulement, il remplissait sa fiche, puis tirait de son sac deux rouleaux de papier de toilette violet, d'une texture très ferme, passé de mode, qui ne s'achetait plus que chez un marchand de couleurs de son quartier. Avant d'en faire usage, à l'heure du petit déjeuner, réglé qu'il était comme une horloge, il allumait une gauloise, par égard, précisait-il, pour le personnel. La cigarette consumée, il se rasait prestement, conservant au coin des lèvres un mégot incommode et mouillé. Tu connais le chapitre des *Mémoires de Sainte-Hélène* où l'empereur, couvé des yeux par Las Cases, se rase en gilet de flanelle — une tenue qui, croit-il, préserve des coliques —, puis se lave la figure, la tête, les dents successivement, avant de se frotter joyeusement la poitrine et les épaules. C'est ainsi que je l'observais certains matins d'été, l'impatience le cédant bientôt à l'admiration.

Le mégot déliquescent dont je débarrassais, mon tour venu, le rebord du lavabo, le certifiait : il n'était pas soigneux. Si je reculais de quelques centimètres le divan sur lequel nous devisons, tu apercevrais une large tache indélébile : un verre de porto renversé dans le feu d'une discussion. Que de fois l'ai-je supplié de ne pas jeter son imperméable crasseux sur n'importe lequel de mes fauteuils!

On a grand tort de confondre l'ordre et le soin. L'ordre, chez lui, était, en quelque sorte, synchrone de l'événement. Il aimait à scander le mot de Leibniz : « Il y a de l'ordre à mesure qu'il y a beaucoup à compter dans une multitude. » A peine recevait-il un extrait bancaire, un décompte de sécurité sociale, un relevé quelconque, qu'il le glissait d'instinct dans une des grandes enveloppes de papier kraft superposées au bas de sa bibliothèque. Comment crois-tu qu'il ait défini le fouillis de ma chambre à coucher? « La matière platonicienne avant l'action informatrice et bienfaisante du Démiurge! »

Nous disputions inlassablement sur la dissociation, si rarement commentée, de l'ordre et du soin. Les Coton-Tige et mégots brunâtres qui barbouillaient le lavabo me paraissaient un manquement exceptionnel aux deux. Il n'était pas d'accord : « C'est ton côté vieille fille! » Or, dans son appartement, si maussadement arrangé, les moindres objets étaient inexpugnables : un bouquet d'épis séchés au centre d'un guéridon, un transistor sur une étagère, symétrique d'un humidificateur à cigares. Les plus minimes dérogations, parfois timidement suggérées, sinon hasardées par Madame Bibard — pour des raisons, non d'esthétique, mais de commodité — le troublaient comme de folles aventures. Il prenait son petit déjeuner à la cuisine, sur le coup du journal parlé de 8 heures, et ne se serait pas permis de transporter sur son bureau une deuxième tasse de café, ou bien, lors d'un rhume, une infusion sur sa table de nuit.

— Par crainte, peut-être, des auréoles...

— Tu plaisantes, c'était au nom de l'ordre. Des auréoles, on en voyait partout, et d'autant plus criantes qu'il s'était entiché de meubles vernis que lui procurait à bon compte un brocanteur de Reading. Personne ne se souciait moins des taches que sa fidèle Bibard. Tout ce qu'il lui demandait, c'était de ne pas lui tenir le crachoir à l'heure où, partant pour les bibliothèques, il fignolait son nœud de cravate à l'anglaise, s'échinant à réussir le pli du milieu. Comme ils ne se croisaient que le temps d'un salut, ils avaient coutume d'échanger des billets. Un jour, sur une fiche qu'elle avait agrafée à un paquet de linge, Madame Bibard s'était discrètement étonnée du nombre inhabituel de slips nouveaux, très audacieux pour un homme de son âge. Ne s'était-elle pas trompée de livraison ? Elle n'en avait pas dit plus, suspectant l'intrusion d'une femme dans ce deux-pièces où elle se voulait souveraine. De son côté, il ruminait la petite phrase : ne trahissait-elle pas un ascendant dont il n'avait pas eu conscience et qui, tôt ou tard, outrepasserait les services domestiques ? Après de longues hésitations, pariant pour la candeur, il avait rassuré Madame Bibard.

— Ces slips, chacun en murmurait la légende. Le P.-D.G. d'Éminence, un élève de Bourdieu, lui en avait adressé une bonne douzaine au lendemain de son enquête, si favorable à sa marque.

— Sur la nature des dessous à l'ancienne, nous l'avons tous connu intraitable : la tenue du genre Petit Bateau, si prisée des familles, flanelle ou culotte à côtes, généreuse et confortable, d'inspiration germanique ou anglo-saxonne, d'une solidité à toute épreuve...

— D'un flou érotique pour d'autres...

— Tu ne crois pas si bien dire. Chez Denise, Poussin l'avait exaspéré en confessant ne bander, l'hiver venu, qu'en caleçon long. « Eh bien, si telle est sa marotte, je vous prends à témoin : je ne le reverrai qu'au printemps ! »

Ces horreurs d'un autre âge, sitôt repérées, le dégrisaient. Il n'accordait de dérogation qu'aux ecclésiastiques, aux rhumatisants et aux skieurs de fond. Dans les commencements, si douloureux, de sa passion pour Poulet, incertain de ce qu'il en adviendrait, il m'avait prié de sonder son entourage : « Je voudrais qu'un de ses frères te renseigne. Il n'y a rien d'indécent à cela. Tu prétexterais une enquête auprès des jeunes. S'il se couvrait de la façon que j'abhorre, je retrouverais mon calme dans l'instant. Il faudra que j'attaque ces sujets en analyse, bien que je soupçonne Friedman de porter long. Certaines mises participent pour moi d'un univers de bouillies et de couches. Je ne m'y résoudrai jamais ! »

L'idée lui était venue, dans un hôtel de Fès, d'une nouvelle qui se serait intitulée « La Petite Culotte » et qu'il a trop souvent racontée pour nourrir le goût de l'écrire. Fâchés d'avoir tourné en rond dans le labyrinthe de la Médina, des touristes, rompus et affamés, guettaient dès 18 heures, dans le hall, l'ouverture de la salle à manger. Une fillette de cinq ans papillonnait effrontément entre les fauteuils club et les tables basses, découvrant à chaque envolée des dessous d'une blancheur de neige fraîche. Le nez dans une revue, je ne bronchais pas : « Tu as plus que moi la vocation du mariage et de la famille. C'est ta veine paternelle qui te guide dans ces cas-là. Cette gamine est détestable. Byron la fouetterait jusqu'au sang ! — Byron ne mégoterait pas comme toi sur les notes d'essence ou de téléphone ! » Excédé par une dernière virevolte de l'enfant, il lui jette d'une voix méchante : « Tu n'as pas honte de montrer ta vilaine petite culotte ? » L'enfant éclate en sanglots et va se réfugier entre les jambes de sa mère : « Le monsieur là-bas me dit que je n'ai pas honte de lui montrer ma culotte ! » La maman se fâche : « Comment peux-tu montrer ta culotte au monsieur ? » Des regards indignés se tournent alors vers lui...

— Il a beaucoup été question de Madame Bibard !

— Et ce n'est pas fini ! Dans son ménage, elle n'avait la charge que des draps, des serviettes, des sous-vêtements. Une sinécure ! Pour les chemises, en matière synthétique et ne nécessitant aucun repassage, il en possédait trois ou quatre qu'il frottait vigoureusement, avec du savon de Marseille et une brosse à ongles.

Parfois, en vacances, je le conjurais de s'abstenir, d'avoir miséricorde, de remettre, compte tenu de l'heure, cette opération au lendemain matin. Mais lui : « Tu peux tout me demander, sauf ça ! »

Le souvenir de cette tâche, si opiniâtrement accomplie, comme l'aboutissement régulier d'une journée, la fébrilité de ses gestes, la ferveur avec laquelle, ensuite, il disposait sa chemise dégoulinante sur un cintre accroché au pommeau fragile de la douche, me poursuivait. Comment pouvait-on être à ce point assujetti à soi-même ? J'en étais venu, pour me désennuyer par des considérations romanesques, seules capables de me rasséréner, à justifier son comportement par le défaut de toute pratique religieuse. N'est-ce pas Hegel qui tenait la lecture des journaux pour la prière matinale du libre penseur ? Cette petite lessive, disproportionnée à son agitation, devenait sa prière du soir.

— Comment, dans les conditions que tu décris si complaisamment, aurait-il pu vivre avec qui que ce soit ? J'ai entendu de ses amis douter qu'il eût un logis ailleurs qu'en province, chez ses parents. Mimant les effusions du retour, ils en faisaient des gorges chaudes. D'autres le croyaient installé rue des Écoles, dans un hôtel d'où ils l'avaient vu sortir, des livres sous le bras.

— Ces bruits n'étaient pas pour lui déplaire; ils le dispensaient de recevoir. Un été cependant, exalté par une bonne nouvelle, il s'était résolu à franchir le pas : six ou sept de ses collègues étaient conviés à prendre un verre chez lui, en toute simplicité.

L'approche de cet événement le rongeait, d'autant que Madame Bibard, experte en casse-croûte, son mari étant charcutier, mais totalement étrangère aux cocktails qu'elle ne connaissait que par *Femmes de France*, ne lui serait d'aucun secours, sinon pour rincer les verres et renouveler les glaçons. A ce sujet, une question le talonnait : combien en faudrait-il? Il avait estimé qu'un seul glaçon par verre suffirait, à moins d'une chaleur caniculaire que la météo ne prévoyait point. Je lui en conseillai trois, comme en Amérique, soit un minimum de vingt et un pour sept personnes. Or, le bac de son frigidaire n'en fournissait que dix, soit cinq par rangée, et encore, au bout d'une demi-journée. Ce calcul l'assombrit. Il s'était inutilement compliqué l'existence.

— Tu n'as toujours pas répondu à ma question : comment aurait-il pu vivre avec qui que ce soit ?

— Comment ? Je me le demande. Il programmait jusqu'à ses journées de vacances. A Saint-Jean, me disait-il, nous travaillerons le matin et en début d'après-midi. De 4 à 6, temps libre. Vers 8 heures du soir, nous dînerons de fèves, de mûres et de lait de brebis. Il nous restera une ou deux heures pour papoter. Si le temps le permet, j'irai retrouver au clair de la lune mes amis luziens. Il se peut que je ne rentre qu'à l'aube. Ne t'avise surtout pas de défaire mon lit. Pour toi, ce sera le bonheur, car nous garderons notre indépendance tout en nous voyant chaque jour.

A Paris, de même, sa discipline était stricte. Sitôt avalé son café, accompagné de deux biscottes, et rincé son bol, il se mettait à sa table, nu comme un ver sous sa vieille robe de chambre, et travaillait ainsi jusqu'au coup de sonnette de Madame Bibard, sans se laisser distraire par la pensée d'un plaisir. « Le matin, je ne suis qu'esprit. Mon corps, mon corps désirant, ne s'active que vers midi, pour battre son plein vers 17 heures. Je suis alors loin de Courbevoie. Telle est ma force : jamais, je ne déroge à ce royal emploi du temps. »

— Lui est-il arrivé d'héberger quelqu'un ?

— J'ai beau chercher, je ne vois que Poulet, sans domicile à son retour d'Angleterre. Une quinzaine apocalyptique ! Poulet, que son désœuvrement orientait depuis peu vers les femmes, était sur le point de s'établir avec Huguette, l'unique ouvreuse d'un cinéma porno de Montparnasse, et s'y préparait en novice. Ainsi étaient-ils convenus, après de laborieuses tractations, qu'il n'y aurait plus l'ombre d'un tripotage dans le grand lit où ils dormiraient côte à côte. Un renoncement qui lui coûtait ! « Tu sais que ce qui m'a toujours paru le plus précieux dans une relation, dans un lieu, et surtout à la campagne, c'est la possibilité du plaisir, ou, ce qui revient au même, la liberté de s'abstenir. Dieu m'est témoin que nous ne faisions pas grand-chose. Tu es au courant ! Mais que ce soit à jamais prohibé ! Me voici donc plus saint que Julien l'Hospitalier, et, ce qui n'est pas le cas dans Flaubert, astreint à la cohabitation. Je vis un vrai calvaire, et sans la perspective d'un paradis proche. Mon appartement est méconnaissable. Des chaussures traînent à l'entrée, le poste de télévision a été rapproché du divan, le *Robert* transporté dans la chambre à coucher et le radiateur électrique dans le cabinet de toilette. Ce qui m'épouvante, tu goûteras ce détail, c'est que, dès son arrivée, en enfilant mes babouches, il manifestait son désir de demeurer plus longtemps que prévu. Lui, d'ordinaire si attentif à mes dispositions, est ici l'indiscrétion même. Il se prépare des omelettes à toute heure, et pas seulement pour son petit déjeuner, des omelettes de famille nombreuse. Madame Bibard s'est claqué un muscle en récupérant des coquilles d'œuf entre la cuisinière et le frigidaire. Je finirai par la perdre. »

— Il a donc renoncé à son Poulet?

— Pas vraiment. Poulet lui était indispensable dans la vie pratique pour les menues opérations dont il se flattait d'être incapable : remplacer les piles d'un transistor, le ruban d'une machine à écrire, le joint d'un robinet. Mais leurs rapports s'étaient durcis. Désormais, il se faisait un point d'honneur de refréner les gestes affectueux. Il ne lui touchait plus ni le bras ni la cuisse. Et tandis qu'il se conduisait en camarade, c'est à Huguette qu'il offrait ses effusions, heureux de connaître grâce à elle la douceur d'un foyer.

— Mais cette misogynie dont tu m'as rebattu les oreilles?

— N'en étant pas la cible, Huguette s'en régalait, comme de cette histoire dont il avait été le témoin, rue du Bac, et qu'elle lui redemandait sans cesse : sur le seuil d'une mercerie dont elle avait entrebâillé la porte, une très grosse dame, sans prendre la peine de s'avancer, ni d'attendre son tour, crie à l'adresse de la patronne : « Est-ce que vous avez des culottes de femme? » Il hurlait et s'étranglait : « Rendez-vous compte! Pas seulement des culottes, mais des culottes de femme!!! » Poulet restait de marbre, Huguette se désopilait.

Le jour où Poulet la lui avait présentée, il lui avait trouvé les hanches un peu fortes, les bras trop musclés, le fessier proéminent. Il s'étonnait de l'avoir si méchamment dévalorisée. Elle lui disait parfois : « C'est toi que j'aurais dû épouser! La nature en a décidé autrement. » Quand une femme l'écœurait, il l'appelait sa « très chère amie » et l'enivrait haineusement de compliments outranciers. Beaucoup s'y sont laissé prendre. Pour Huguette, il était aux petits soins. Sachant qu'elle le retiendrait immanquablement à dîner, jamais il ne se présentait sans un paquet ficelé en pyramide : c'était un pot de confiture, un feuilleté de Dalloyau, un peu de foie gras. Et comme il était regardant dans sa générosité même, il assortissait son offrande d'un commentaire : « Vu le nombre de calories, j'ai pensé qu'une belle tranche pour deux suffirait. De canard plutôt que d'oie ; c'est plus fin à mon goût ; et sans truffes, à l'alsacienne ; les truffes n'auraient rien ajouté, sinon à la facture. — C'est plus que gentil, minaudait Huguette, mais, une fois encore, tu as compté sans Poulet. — Pas du tout, je comptais sans moi. Je ne faisais que passer. D'ailleurs, je dois couver quelque chose. Je n'ai pas le moindre appétit. »

Au hasard des soldes, Huguette, qui l'avait pris en main, rafraîchissait son lot de chaussettes et de linge. Sous son emprise, il avait renoncé aux chemises de Nylon qu'il savonnait encore, de temps à autre, par nostalgie, et aussi pour éviter qu'elles ne jaunissent comme les voilages que Madame Bibard désespérait de rattraper. Huguette l'avait convaincu de passer du synthétique aux fibres naturelles, voire au coton d'Égypte pour les chemises sable de Charvet. « Tu es un panier percé », gémissait-il en retirant les épingles. « Je finirai sur la paille. » Il cultivait ces images qui lui rendaient la dépense moins amère.

Comme elle connaissait le contenu de sa

commode et jusqu'au nombre de ses mouchoirs, il avait voulu d'un seul coup la surprendre, et, ne fût-ce qu'une fois, secouer magistralement sa tutelle. Je dînais chez Huguette quand nous l'avons vu apparaître dans l'embrasure de la porte, hiératique et triomphant : « Que Dieu vous protège et accroisse votre gloire ! » Son imperméable était démesurément ouvert, comme par des écarteurs chirurgicaux, sur un poitrail violet. Nous en étions bouche bée. « Je conçois votre stupeur, mais vous n'avez pas tout vu. » Il déboucle sa ceinture, abaisse son pantalon : « Je n'allais tout de même pas occulter l'essentiel. Le slip est à l'unisson. Il conspire avec la chemise comme les rubans d'Astarté avec le bonnet de Zadig. » Puis, d'un ton doucereux et craintif, tentant d'infléchir le verdict d'Huguette : « C'est audacieux, j'en conviens, mais pas de mauvais goût ? » Huguette tarde à se prononcer. « Je ne suis pas contre, réplique-t-elle enfin, mais pourquoi, Grand Dieu, m'avoir caché cette chemise ? — Ma mère, redoutant les lavages, si peu nuancés, de Madame Bibard, avait préféré, l'an dernier, la confier à sa femme de ménage. »

— Bizarre, la soumission à Huguette ; je l'enregistre ; personne ne l'a mieux connu que toi. Mais tu m'accorderas qu'il nous en remontrait sur tous les sujets. Par exemple, il pestait contre les chaussures en daim, toujours haïssables, accessoire de nouveau riche ou de petit fonctionnaire ambitieux, complément obligé de la flanelle grise. Je lui représentai que sir Anthony Eden — dont nul n'a jamais contesté la rigueur — s'en était fait faire, sur mesure, chez John Lobb, plusieurs paires. Les paupières fermées, il secouait la tête. Trois ou quatre de ses proches ne portaient les leurs qu'en cachette, les jours où ils étaient sûrs de ne pas le rencontrer.

— J'avais rapporté d'Irlande une grosse veste de tweed, très rustique, pour laquelle je n'envisageais qu'un pantalon marron. Il n'était pas d'accord. S'il encourageait l'achat, il réprouvait la couleur, trop attendue à son gré. Et comme je lui résistais, il s'était ensuivi, par téléphone et par courrier, nombre d'escarmouches et de sommations sans rapport avec l'enjeu : « Tout en me réjouissant de tes excellentes dispositions vestimentaires, je me risquerai, si tu permets, à une remarque : ne crois-tu pas qu'un pantalon gris, ni perle ni anthracite, présenterait l'avantage de cousiner avec n'importe quelle veste, beige, bleue, verte, rose?

Ton ami te conseille vivement le gris. » De guerre lasse, j'avais abdiqué.

— Il se braquait. Souviens-toi de son enquête sur les sous-vêtements masculins dans les milieux populaires. Quand les caleçons et boxer-shorts se sont manifestés en force, il s'est bouché les yeux, soutenant mordicus qu'il ne s'agissait que d'une foucade, grossie par les médias, et que les slips n'en tenaient pas moins le haut du pavé.

— Je l'ai entendu affirmer qu'il n'y avait de pommes que la reine des reinettes, la canada, la boskoop, et couvrir de ses piaillements le connaisseur qui lui recommandait pêle-mêle la calville Saint-Sauveur, la court-pendu, la fenouillet, l'api étoilé, la royale d'Angleterre. « Des pommes pour Précieuses ! Me les remportez sur-le-champ ! » Cependant, il était ébranlé.

— Je ne m'étonnerais pas qu'il ait, un autre jour, glorifié la court-pendu pour rabattre le caquet d'un amateur de reinettes. Il était péremptoire.

— S'agissant de n'importe qui et de n'importe quoi : d'un poète, d'un peintre, d'une escalope viennoise : on ne les réussissait qu'au Plaza ; partout ailleurs, la panure se désagrégeait. Or, il n'avait mangé qu'une fois au Plaza, invité par ses cousins de Tours. D'où lui venait cette assurance? Où aurait-il dégusté d'autres escalopes? Chez lui? Qui les lui aurait préparées? Huguette se méfiait du veau, trop souvent gavé d'hormones. Quant à sa mère, elle privilégiait les rôtis, plus économiques, et qui réclament moins de vaisselle et de manipulations. Mais il dissertait mieux que personne sur des films qu'il n'avait pas vus, des merveilles qu'il n'avait pas savourées.

Pour mon anniversaire, il avait décidé de m'emmener souper dans un restaurant de la porte de Pantin, puis s'était ravisé : « Ce ne serait pas le meilleur moyen d'aborder la hiérarchie des subtilités gastronomiques. Réflexion faite, car ton ami ne se détermine pas à la légère, c'est à L'Escargot que je te convierai, bien que ce soit un peu plus cher. Nous serons alors sur le seuil des essences éternelles. Comme le cinquième genre qui, dans le *Philèle* de Platon, donne accès d'un côté à l'admirable ordonnance des quatre genres suprêmes, de l'autre à l'infinité incohérente des phénomènes, ce restaurant sublime ouvre la voie aux ultimes démarches de la dialectique culinaire. Purifiés par ce baptême, nous pourrons ensuite, sans douleur, la tête haute, sûrs de nous-mêmes, nous attabler au Crocodile d'Émile Jung. »

Nous n'avions pas entamé le premier plat, que déjà il piaffait d'impatience : « Alors, comment trouves-tu ? » Je devais, de confiance, fondre en extase.

— Tu as lu son tout dernier article ? Épuisé par la maladie, il s'était traîné à Cologne pour rendre compte dans *Arts* d'une rétrospective Baldung Grien. Il en était revenu allègre et requinqué, prolongé de six mois : « Baldung Grien est le paradigme de l'artiste surfait, à l'instar de Georges de La Tour et de Picasso... Mais La Tour et Picasso ont plus de génie que Baldung ! »

— Et la suite : « Indignez-vous du silence que gardent nos conservateurs sur des peintres, tellement plus grands, de la même époque : Altdorfer, pour n'en citer qu'un. »

— La tête qu'il faisait dans ces moments-là !

— L'avait-il travaillée, machinée, fignolée, cette tête à faire peur, ce cul-de-poule intimidant et sentencieux, qu'il reproduisait à volonté, s'en félicitant, l'orage passé, comme d'un ajout singulier à la physiognomonie de Lavater : l'homme à la moue. Tout se jouait autour de la bouche qu'il fronçait en un terrifiant point d'orgue. Ayant réglé son compte à Baldung et aux petits-maîtres, il gardait le silence, yeux clos, mains jointes, jambes écartées, penché vers le sol, pour n'avoir à surprendre ni scepticisme, ni objection, ni même acquiescement.

— Et la voix? Tu oublies de quelle voix il nous muselait!

— Ce défaut s'était récemment confirmé. Nos soirées chez Lipp devenaient une épreuve : il tonitruait. L'estomac noué, je l'implorais : « Sois gentil, chuchote, on nous regarde... » Alors lui, chiffonnant sa serviette et faisant mine de partir : « Je vois, tu as honte de ton ami... » D'un œil mauvais, je lui intimais de se rasseoir : « Je pensais que nous dînerions en tête à tête et voilà que tu mets la salle entière dans la confidence. — Comme tu es tendu! Mais comme tu es tendu! Il y a vingt ans que tu me reproches de parler fort. Eh bien, je continue. C'est à prendre ou à laisser. Je sens que je te deviens odieux. Ne nous voyons plus! Il me semble que je manifeste, par ailleurs, quelques qualités qui devraient me valoir une certaine indulgence, la tienne en tout cas. »

Tandis qu'il s'apaisait, je me jurais d'enterrer le voyage en Angleterre dont le projet nous occupait depuis des lustres. Que penseraient Merlin Thomas ou David Cecil d'un étranger incapable de parler bas, à l'heure du porto, dans les salons embrumés de New College?

Cependant, nos voisins, et les voisins de nos voisins ouvraient l'oreille à ses divagations. « Il faut que j'en prenne mon parti : je n'ai de succès qu'auprès des garçons de quatorze ans auxquels je n'ose rien faire, et des femmes de cinquante! Plus elles sont grasses, plus elles me trouvent à leur goût! Merde! Je viens encore de tacher ma cravate, celle qu'Huguette m'avait offerte pour Noël. Elle me donnera l'adresse de son teinturier, celui à qui l'on confie les costumes de l'Opéra; il est à deux pas de chez toi.

» Je passe du coq à l'âne; c'est à propos d'Huguette qui a repris ses études. Son professeur prétend discerner, dans Bergson, deux originalités, l'une donnée, l'autre attribuée. Je ne connais, moi qui suis si peu philosophe — contrairement à ce que colporte Madame Bibard, ma mie ô gué —, que l'originalité inscrite dans le réel. Car tout, pour Bergson, est original. Transposant dans le réel la distinction leibnizienne de l'essence — où règne l'identité — et de l'existence — où tout est original —, Bergson scinde les choses en deux, selon qu'elles persistent dans leur élan créateur ou qu'elles se retournent contre lui. Le langage n'affirme son originalité qu'à l'encontre de sa vocation propre, puisqu'il se situe du côté des choses stratifiées, de l'élan retombé. En fait, le langage est impuissant à appréhender l'originalité, sauf, peut-être, le langage poétique, et sûrement le langage mystique. Tu me suis? L'originalité n'est saisie que par elle-même, dans son mouvement intime. Suppose une tourterelle qui parle : elle dirait le phénomène mieux qu'un professeur, car le professeur connaît l'originalité, mais la tourterelle la vit. Je ferme la parenthèse. On n'attend pas d'Huguette une dissertation sur Bergson qui n'est pas à son programme, mais sur l'originalité en général. Ne pourrait-elle pas représenter trois niveaux : la nouveauté, la singularité, la rareté? — C'est plutôt dans une deuxième partie que je m'attacherais aux niveaux du monde original, à savoir la durée, l'expérience pour la nouveauté; les individus pour la singularité; l'art, la mysticité pour la rareté. — Et la troisième partie? — Rien ne serait plus piquant que d'y renoncer, mais ce ne serait pas gentil pour Huguette. Elle montrerait l'originalité prise à ses propres pièges, la nouveauté dissimulant la rareté, la singularité l'essence, la rareté l'exemplarité. Pour la conclusion, pas de jongleries inutiles! Comme d'habitude, tout s'arrange, tout se dispose en Dieu. Mais, dis-moi, nous n'allons pas consacrer toute la soirée aux devoirs d'Huguette? — C'est une si bonne fille... Ah, je lui en foutrai de l'originalité, à son professeur! De l'originalité et une bonne tape sur les fesses. Huguette m'assure qu'elles ne sont pas mal, sans valoir celles de Poulet. Elle a raison de préparer un diplôme. Les films pornos n'ont plus la cote. Je n'imagine pas non plus que Poulet, sempiternel vacataire, gagne un jour de quoi l'entretenir. Ils n'ont même pas de voiture automobile. La mienne donne des signes de fatigue. Ils en hériteront.

»Ton ami meurt de soif. Ses brillantes analyses l'ont vidé. Dire que je devrai remettre ça demain soir pour Huguette qui rend sa dissertation lundi. »

On lui apporte une bouteille d'eau minérale qu'il s'approprie fébrilement. Il tient son verre de la main gauche, la droite agrippée au goulot, par crainte d'un éventuel prédateur. Je lui ai toujours connu ce geste, cette précipitation infantile, devant la nourriture aussi. Il mange comme un cochon. Je lui signale, au bord des lèvres, un filet de choucroute qu'il balaie d'un grand coup de serviette. C'est le Neveu de Rameau! Bergson est déjà loin; nos voisins, à nouveau, se renfrognent. Je songe aux remarques de ma mère, chaque fois qu'il dînait chez nous : « Ton ami est fort intelligent, comme du reste la plupart des juifs avec qui ton père était en affaires, mais il manque de manières plus que d'éducation. Ta grand-mère a fréquenté la sienne, aux Oiseaux de Nancy où elles étaient toutes deux pensionnaires. Elle était aussi charmante que raffinée. »

Je vais te surprendre : c'est dans sa déréliction que je le rejoignais le plus fraternellement, au fil même de ce que j'endurais. Ses façons me crucifiaient et je n'en laissais rien paraître. Comme un gymnaste en compétition qui, le sourire aux lèvres, feint de se rétablir sans effort, j'affichais à la ronde une aisance et un enjouement qui témoignaient que je n'étais pas dupe : « Mon ami se tient on ne peut plus mal, je vous l'accorde et je vous plains. Mais il est mon ami. »

Ces dernières années, résigné à son incorrection, je n'envisageais même plus, pour nos dîners, un lieu tranquille, une table en retrait où causer sans indisposer alentour.

Cette fois, c'était au Dôme. Sur une table voisine, des plateaux d'huîtres et des buissons de crevettes. Ses doigts se courbent en pince et sa main s'avance, comminatoire, vers la droite, tandis qu'il m'entreprend joyeusement : « Vois-tu que je leur dise : vous n'allez tout de même pas me chercher noise pour deux malheureuses crevettes que je vous rembourserai, intérêt et capital, à la première occasion. » Vois-tu que... C'était son mythe favori ! Un client se présente au maître d'hôtel, serrant par le bras une imposante créature qui semble lui donner toute satisfaction : « Vois-tu que je lui dise : votre femme a un pétard qui ne me revient pas ! Vous devriez vous excuser de l'avoir épousée ! »

— Vous êtes, l'un et l'autre, incorrigibles. Il n'avait pas meilleur compère !

C'est la dissertation pour Huguette qui m'intrigue. Il aimait donc Bergson ?

— Pas vraiment. Un peu, dans la mesure où il était alors passé de mode.

— Je le croyais plus proche de ceux de Vincennes.

— Tu m'ennuies avec ces questions. Il considérait que la France, depuis Auguste Comte, ou, pourquoi pas, depuis Bergson, engendrait, non pas des philosophes, tels Husserl et Heidegger outre-Rhin, mais des professeurs, rien de plus, que la conjoncture choyait jusqu'à leur ouvrir les portes de l'Académie; qu'il y a cinquante ans, les mêmes auraient fait des pieds et des mains pour placer une notule dans la *Revue de métaphysique et de morale.*

Ses démêlés, tout personnels, avec Bergson, c'est le tourment de ses dix-sept ans. A tort ou à raison, il retrouvait dans ses livres une suavité d'écriture — sa pente naturelle —, des boursouflures, un flux oratoire contre quoi il se rebiffait sans inventer d'autres voies. « Bergson, hélas, c'est ma fuite devant le désir! Je vais me raidir pour écrire court et sec. » Il pondait trois cents pages pour en conserver cent cinquante. Un travail d'orfèvre! Subtil et impeccable, mais ce n'était plus lui.

Sa conversation, c'était tout autre chose. Elle déferlait.

Et ses retours de province, fin septembre, après tout le monde, pour se distinguer! Le soir même, sans prendre le temps de défaire ses bagages, il fonçait au Flore, chez Lipp, chez Alexandre, en tenue de tennisman, ne voulant rien perdre du bénéfice d'un hâle qui tiendrait un mois à peine. Et là, se dirigeant, comme dans l'allée d'un sanctuaire, vers le gérant ou le maître d'hôtel, il murmurait, car il en était capable, sur un ton théâtral, dans des circonstances exceptionnelles : « Mon corps est parvenu à cette maturité de brunissement qui laisse augurer des lendemains enchanteurs. » On aurait cru qu'il débitait un texte. Souviens-toi de notre excursion à la campagne. Il répétait sans arrêt, non pas : « Quelle belle jeunesse! », mais : « Que de riants et frais objets pour mon regard! Que de blondeurs exposées à mes appétits! »

— Il avait, en effet, élaboré, pour la conversation, une langue écrite et qui gagnait à ne pas l'être. Je lui parle du Racing d'où précisément je reviens, et il m'interrompt : « C'est la jeunesse chic de Paris qui se distrait au Racing, s'ébat dans la piscine, à l'ombre d'un magnifique saule pleureur, et offre à des yeux concupiscents les tentations de ses formes gracieuses. »

Quand bien même — c'était mon cas — vous vous entraîniez au Racing depuis dix ans, alors qu'il venait, lui, d'y mettre les pieds pour la première fois, il prétendait vous impatroniser.

— Chez Lipp, nous sommes les derniers

dans la salle du fond. Les garçons commencent à regarder leur montre, mais il s'obstine à commander des œufs à la neige, pour l'amour de sa grand-mère : « Ne t'inquiète pas, je suis garé tout à côté. Et c'est moi qui t'invite, ne proteste pas, ton ami a le cœur sur la main. Les Davidoff que tu m'as si gentiment offerts la semaine dernière, les voici : je les ai gardés en prévision de cette soirée. Heureusement que tu m'as ! Un cigare et un dîner, en sus des gâteries de ma conversation, tu ne perds pas au change.

» Ce que tu ignores, ce que j'ignorais moi-même, il y a seulement huit jours, c'est qu'Huguette, elle qui tire le diable par la queue, est d'une famille qui a du bien. Les entremets de Fauchon, elle pourra, un jour, s'en offrir en veux-tu en voilà. La cachottière ! Je n'en suis pas remis. Figure-toi que ses parents, avec qui elle était en froid, *because of Poulet's position*, et qui désapprouvaient son mariage — Dieu sait si je les comprends —, ont donné, la semaine dernière, avec un an de retard, boulevard Haussmann, dans un appartement qui regorgeait du meilleur monde, une réception superbe à laquelle j'étais convié. On circulait de pièce en pièce. Les parents d'Huguette sont si peu conventionnels qu'ils ont renoncé à toute salle à manger. Louis-Philippe en froncerait les sourcils. Je suppose qu'ils se contentent, pour leurs repas, de la table de bridge que j'ai notée dans la bibliothèque. Mais c'est de ton ami qu'il va être question. Il s'est passé, comme dans les romans, quelque chose de merveilleux. J'étais assis dans le bureau du père, sur le canapé. A côté de moi, Huguette; à droite, sa mère; debout, sa plus jeune sœur; dans notre dos, plusieurs seconds rôles, dont Poulet. Je jouissais, sans doute grâce à Huguette, de la considération générale. Un valet de chambre apporte des pâtés chauds. Je le regarde, brusquement fasciné. Je ne t'apprendrai pas que, dans ces cas-là, je suis transparent comme de l'eau de roche. Huguette, qui sait tout de ma vie, me fixe, se lève, m'entraîne dans un coin : "Qu'est-ce qui se passe donc avec ce garçon?" Parvenu à me ressaisir, je marmonne : "Je l'ai vu quelque part. Ce qui m'ennuie, c'est de ne pas me rappeler où, ni comment il se prénomme. — Il nous a été recommandé par la gérante d'Hédiard, mais tu peux l'avoir vu chez Maxime Lefort, le copain de Poulet. — Peut-être!" Or, soudain, je réalise, n'étant jamais allé chez Lefort, que je l'ai abordé, l'été dernier, sur les berges de la Seine, et que, dans l'emportement de sa passion, il m'a offert de visiter avec lui Stuttgart où vivent ses parents. S'étant renseignée auprès de sa mère, Huguette me rapporte qu'il s'agit de Bernhard, réputé dans les beaux quartiers pour la perfection de son service. Quel domestique ! On se l'arrache ! Si j'avais les moyens ! Il n'a pas bronché. »

Je te vois sourire. Il ne fabulait pas. Cette histoire lui était réellement arrivée.

— C'est tout à fait le genre de situation qui nous amusait dans Proust.

— Je ne lui en ai pas fait la remarque. Nous n'étions plus dans le ressort de la littérature. De Proust qu'il lisait secrètement, ou presque, il ne m'a parlé qu'une ou deux fois pour me confier qu'il lui procurait autant de bonheur que de chagrin, que ce roman-là recoupait non son propre imaginaire, mais ses misères vécues, et que, par conséquent, il l'écartait dans les moments de cafard : « Il me semble, à chaque page, reconnaître mes colères, mes crises de jalousie, mes tristesses dont j'ai honte, non pour toi, mais pour moi-même, de découvrir que tu es la cause incessante. Peut-être que l'amertume que j'en ressens est d'autant plus vive que rien, encore aujourd'hui, ne t'identifie à la vulgaire Odette. Oui, ce drame de Swann, je l'ai vécu sans obtenir aucune des compensations matérielles de son amour à lui. Je vois mieux combien celui qui aime sans être aimé peut être insupportable. Et, prodige de l'amour que souligne Proust, à quel point l'amant redoute, au plus fort de sa souffrance, ou bien même à mesure de celle-ci, d'en augurer la fin, comme s'il craignait, stupidement, de se dépersonnaliser, alors que c'est dans ces moments-là qu'il n'est qu'un malade, étranger à son être véritable. Avouerai-je plus tard, comme Swann dans les dernières lignes de ce chapitre inouï : "Dire que j'ai gâché des années de ma vie..." Jamais, en tout cas, je n'ajouterai ce poème de muflerie géniale : "pour une femme... qui n'était pas mon genre!" Car, si tu me pardonnes cette expression triviale, tu étais justement "mon genre", et c'est ce qui me désole. »

— Comme je sympathise! Le type de personne qui nous émeut et nous désespère, cette prédestination du désir, cette orientation malheureuse et vaine! Nous en sommes tous là. A Huguette les jolis garçons paumés, à Flaubert les mamans bien en chair, à toi les très jeunes filles du style « petit pêcheur napolitain ».

Quand t'a-t-il parlé de Swann ?

— Quelle importance ! Il te l'aurait dit à quelques jours près. Comme je trifouillais mes agendas pour retrouver la date exacte de notre premier voyage au Maroc, il m'a fait remarquer que ce ne pouvait être qu'après les vacances de Pâques, le lendemain de la rentrée des classes : « Tu venais d'acheter à la Fnac ton nouveau magnétoscope. Le bon de garantie te le confirmera. C'était en avril, non pas le 13 qui tombait un lundi, mais le 14 au matin. L'aéroport était bondé de retardataires. A l'heure de la sieste, nous débarquions à la Mamounia. »

Dans un tout autre domaine, qui me touche personnellement, il savait, sans avoir à consulter aucun guide, quels tableaux se trouvaient où, dans quel musée d'Europe ou d'Amérique. Nous mentionnons Chaban-Delmas sur la route de Bordeaux et il me conseille de faire un saut à Trèves pour admirer son portrait : « Tu seras épaté. Il y a là, dans la collection Rozenstein, nombre de chefs-d'œuvre inattendus : le *Booz endormi* de Rembrandt, la *Cathédrale de Tourcoing* de Ruysdael, et de très belles choses de la fin du dix-neuvième, *Madame de*

Guéménée et ses filles, par Thomas Couture, ou la *Nounou à l'ombrelle* de Pissarro ! » Il n'avait jamais visité Trèves !

Cette mémoire époustouflante le dispensait de dater son courrier. Il écrivait : le 28-IV, le 30-X, le vendredi 7... Un coup d'œil sur la première phrase le mettait dans le bain : « J'y suis ! C'est l'année où, pour les vacances du Mardi gras, tu me proposais de faire chambre à part sous le prétexte d'un rhume qui t'obligeait à te lever la nuit. Remémore-toi mes réserves. Elles tenaient en quelques mots : c'est le soir que la pensée bouillonne, et le matin qu'elle dessine les promesses de ses éclairs futurs ! »

— La passion est comptable, comme chacun sait, mais toi, tu t'y retrouves dans ses lettres ?

— En gros, oui, pour d'autres raisons. Elles se font de moins en moins menaçantes, *decrescendo*, jusqu'à la rupture. Les dernières sont sans reproches, éthérées, équanimes, à deux doigts du nirvāna. Des billets plutôt que des lettres, parfois de simples cartes de visite.

— C'était donc beaucoup plus qu'une amitié. Je commençais à m'en douter.

— C'était cela et autre chose. Nous occupions des dimanches entiers à fourbir nos récriminations, nos attendus, nos plaidoyers respectifs, lui avec une fougue implacable, moi de plus en plus mollement.

Je rêvais d'un été à moi seul, d'un long séjour outre-mer, d'une trêve sabbatique. Mais il ne tolérait pas que je mitonne, fût-ce par jeu, un départ en solitaire.

— Vous passiez vos vacances ensemble ?

— A Saint-Jean-de-Luz, le plus souvent, à Marrakech ou Tozeur, de temps à autre, à l'exception d'une année grosse d'orages.

Ajoute qu'il appréhendait les étés comme l'aurait fait pour ses ouailles un supérieur de séminaire : temps d'émois et de perdition, oubli de la Règle. Que de religieux avaient, dans la chaleur du mois d'août, jeté leur froc aux orties !

Pour leurs vingt ans de mariage, mes parents m'avaient emmené en Corse. Au-dessus de Bonifacio, campant à même la rocaille, en plein milieu d'une colonie de mouettes, un jeune homme arborait sur son sac de couchage le blason de New College. Son flegme à la Kipling me plaisait. Nous nous étions promis de nous revoir, pour son français, pour mon anglais.

Sur une carte postale, je lui avais résumé,

le plus jovialement possible, ma rencontre avec Simon Johnson.

— Sa réaction ?

— D'une violence !...

— Je ne suis pas surpris, sinon par toi. Ta précipitation n'avait rien d'innocent. Tu aurais pu, le connaissant, attendre ton retour.

— Je le contrariais tout en le ménageant, puisque je privilégiais, pour mon séjour en Angleterre, non pas le grand été qui lui appartenait de droit, mais les vacances de Pâques qu'il dédiait, lui, à sa famille.

Sitôt mon arrivée, il avait fait irruption rue Chomel, la mine basse, l'air endeuillé, refusant de s'asseoir ou d'ôter son imperméable. « Mon pauvre chou, où en sommes-nous ? Il fallait que je te voie d'urgence après les événements de Corse. — Quels événements ? Tu perds la tête ! — En effet, je la perds. Je finis par me demander si je suis un individu envieux, mesquin, irascible, susceptible, insociable, et si tu es, toi, un être parfait, ou bien si, à l'inverse, tu ne serais pas quelqu'un d'infernal.

» Ta froideur serait-elle justifiée, je me crois autorisé à penser que le moment n'était pas des mieux choisis pour m'annoncer, d'ores et déjà, de ton chef, une équipée outre-Manche.

» Alors que je m'interroge, au comble de l'angoisse, si j'aurai 9 ou 10 à mon prochain examen — celui dont dépend ma carrière —, tout ce que toi, mon intime, trouves à me notifier, après m'avoir laissé tomber pendant tout un mois de délicieuses baignades (celui où j'aurais eu le plus besoin de toi, ne serait-ce que pour la traduction du texte de Humboldt), c'est, en substance, même si tu n'en as soufflé mot, que tu te soustrais à toutes les obligations de notre amitié. »

Il modulait ses griefs sur le ton tantôt de l'affliction, tantôt de la colère, montant brusquement d'une octave chaque fois que je faisais mine de protester. « Rassure-toi, je ne te demande pas de te cloîtrer dans ta chambre, ni de rester de glace en couchant avec Gladys ou Judith. Tu serais fou de t'en priver, puisque tu y trouves ton plaisir. Mais je considère que tes fredaines, sinon tes élans amoureux, ne devraient pas te faire complètement oublier ma pauvre existence. Ne t'ai-je pas répété à Saint-Jean-de-Luz que j'étais la basse continue de ta vie affective? Ce rôle m'apparaît de plus en plus intenable. J'admire ton aisance, physique ou matérielle, et je t'envie d'être libre. Comment pouvais-je espérer que tu me sois intégralement fidèle, au sens très large où j'entends ce mot, c'est-à-dire que ta tendresse me soit totalement acquise, que ta pensée soit continûment tournée vers moi ? Bref, je ne trouverais pas exceptionnel que tu calques ton attitude sur la mienne, sans pour autant renoncer aux douceurs de ce monde. Mais je voudrais qu'entre une invitation au voyage et moi, ce soit tout de même à moi que tu accordes la préférence, sans compter que *La Chasse* de Paolo Uccello, j'aurais aimé que nous la découvrions de concert au musée d'Oxford.

» Donne-moi un verre d'eau, de l'eau du robinet. Ta carte postale — a-t-on idée d'envoyer une carte postale à un ami ? — m'a mis dans un tel état que mes brûlures d'estomac ont repris. »

— Quoi, toute cette algarade pour l'annonce d'un séjour linguistique qui aurait lieu huit mois plus tard ?

— Il n'était pas que linguistique, mais j'en prenais l'initiative ! Aussi était-il de même nature que les nuits avec Judith ou le choix d'un pantalon.

Il me tirait à hue et à dia. J'étais à bout de forces.

Le lendemain, je trouvai ces lignes dans ma boîte : « Qui donc est cet Anglais ? Tu m'avais dit son nom. Je l'ai oublié. Qui te l'a présenté ? Rappelle-toi, dans *la Retraite sentimentale*, de la grande Colette, le mot de Marcel : "L'Anglais chic ne donne plus du tout cette année." Médite-le, au lieu de t'emballer. »

A ce billet était jointe la liste de ses dates disponibles, soit le 30 juin, le 15 juillet, le 30 juillet, le 15 août, suivie de cette parenthèse énigmatique : « Ces deux dernières dates procédant plus de l'imagination d'un esprit déçu et fatigué que de la conscience claire d'un homme en contact avec la réalité positive. »

Notre différend devait se rallumer, Simon m'ayant écrit qu'il ne pourrait m'accueillir avant d'avoir fignolé son mémoire, *André Suarès et l'Italie*. Comme il lui restait à vérifier sur place certains détails topographiques, il m'invitait à le rejoindre vers la mi-juillet, dans les environs de Sienne, au couvent de Monte Oliveto, célèbre par les fresques de Sodoma, et dont les moines acceptaient des pensionnaires de toute confession.

Qu'adviendrait-il alors du sacro-saint été

dont il délimitait despotiquement le cadre en fonction de son calendrier ? Le cœur me manquant pour de nouveaux affrontements, je lui adressai telle quelle, comme un casse-tête, et sans le moindre commentaire, la longue lettre de Simon. Cependant, de moins en moins docile, et m'attendant au pire, je m'irritais à l'avance de sa réponse. J'en présageais la teneur et l'expression. A quelques mots près, j'aurais pu la jeter sur le papier :

> Si j'ai percé ton manège, car je suis un habile observateur du cœur humain, tu t'attends à ce que je débrouille le chaos que tu as mis entre nous. Je saisis admirablement ton double désir de rallier sir Simon Johnson et de parcourir l'Italie, riche de lumière, d'odeurs caressantes, de chefs-d'œuvre et de plaisirs faciles. Ton sens de la durée me paraît moins justifiable. Tu déplores, semble-t-il, en filigrane, que mes ambitions m'empêchent, à l'heure actuelle, d'arrêter, avec le sérieux que réclame la préparation d'un voyage, la date exacte où je serai libre. Or, je critiquais, au vu de tes projets, ton appréciation de la durée, ne voyant pas comment tu concilierais dans le même mois un séjour en Italie se situant vraisemblablement vers le 10-15 juillet, et se pro-

longeant quelque quinze jours, avec un autre circuit dont je serais, cette fois, l'un des protagonistes, à moins que tu ne m'octroies qu'une semaine de compagnie, ce qui, étant donné la nature de notre alliance, serait pour moi le comble de l'humiliation.

En conclusion : 1) Je n'ai nullement la prétention, aussi puérile que maladroite, de m'ériger en censeur. 2) Au cas où je serais de trop cet été, mieux vaudrait m'en aviser sur-le-champ.

— C'est alors que tu l'as menacé d'une séparation ?

— Il est vrai que, hors de mes gonds, j'ai brandi ce mot qui le torturait. « Prends garde, m'écrivait-il, à cette terminologie imprudente. Si nous nous éloignons l'un de l'autre, ce détachement sera pour moi un aboutissement nécessaire, alors que, pour toi qui, il y a six mois encore, affirmais que nous ne pouvions nous brouiller, ce serait un commencement. »

En même temps qu'il me dépeignait ma tranquillité recouvrée, il la soldait par un appauvrissement progressif : « Tu seras libre et tu y perdras... un peu, de plus en plus. »

— Sans en avoir encore pleine conscience,

tu n'étais pas mieux traité que Poussin ou Claude François.

— C'était plus ou moins le même schéma, mais assorti d'un confortable sursis.

— Explique-moi pourquoi tu pensais que vous ne pouviez vous brouiller.

— Nous étions engagés dans une vie entière. Il y avait eu, pour moi, au départ, la certitude qu'une rupture était inimaginable. En dépit de nos désaccords, tous passagers, j'excluais que notre relation pût être affectée par quoi que ce soit. J'en avais décidé ainsi. Je la tenais pour un monument unique. J'avais parié pour l'immuable.

— Et il lui avait, lui, imprimé un mouvement...

— Exactement ! Il la projetait comme une création continuée, un curriculum tissé de mérites, d'imperfections, de repentirs, où rien n'était définitivement acquis.

Je lui disais : « Je vis l'amitié au présent. » Il rétorquait : « Et moi au passé, mais ce passé est créateur. Ton présent, comme l'instant de Descartes, a besoin qu'un bon génie lui administre une chiquenaude pour faire place à un autre présent. C'est en quoi nous différerons toujours ! »

A l'image des Goncourt s'étreignant, le jour de l'an, dans leur jardin, il chérissait les anniversaires. Chaque année, le 29 novembre, date gravée sur sa gourmette, il célébrait le nôtre pareillement : « C'est à la fin d'un automne pluvieux que je fis ta connaissance sur les bancs de l'université. Comment oublier ce cours fastidieux où je te vis me sourire ? Le charme de ce sourire que, si souvent, depuis, j'ai vanté, a décidé, je peux le dire, et de mes chagrins et de mon parcours. Qui sait si, autrement, j'aurais mis au jour ma personnalité véritable, après une adolescence d'un incroyable aveuglement ? Sans doute, tôt ou tard, mes tendances naturelles me seraient-elles apparues, mais je n'aurais jamais éprouvé la joie tendre et fervente que ta sympathie m'a, dès le début, apportée. »

— J'en ai les larmes aux yeux ! Mais il te jugeait inamical !

— Comme il était très ordonné, il enregistrait mes défaillances, m'accusant et de ne pas m'attendrir sur nos éphémérides et de lui écrire trop parcimonieusement.

Parfois, pour me piquer, il jouait la résignation : « Je t'en avise sans ironie : pour la première fois, depuis des années, je n'ai plus attendu de tes nouvelles. Tes lettres me feront toujours plaisir, mais, et c'est sans doute un bonheur, ou bien un progrès, je ne connais plus l'angoisse de leur attente. J'irai plus loin : je n'éprouve plus, vis-à-vis de toi, d'inquiétude, cette inquiétude qui, lors même que nous étions le plus proches, m'obsédait. Quand tu étais près de moi, je me faisais un sang d'encre en pensant aux lettres que tu tarderais à m'envoyer. Ai-je été fou ! »

Je reconnais, à sa décharge, que j'avais moi-même dactylographié en double exemplaire un contrat par lequel les parties s'adressaient une missive de trois pages tous les six jours, à moins de maladies qui leur procuraient un délai de grâce. J'étais donc impardonnable. Une lettre-fleuve, un week-end ensemble apaisaient ses tourments. « Songe, me disait-il, que nous pouvons rester l'un avec l'autre dix heures d'affilée sans ressentir le moindre ennui. J'aime à penser que notre amitié est d'un type assez rare. Même La Boétie et Montaigne me font l'effet de pâles modèles. Quels élans, quelle communion après tant de turbulences ! Aujourd'hui, je ne doute plus de toi, cher vieux salaud. Plus tard, nous ferons des livres ensemble et des films, à coup sûr celui sur les cimetières arabes. Te rappelles-tu celui de Kairouan ? Je promets de renoncer, autant que possible, à mon insupportable tyrannie... »

— Intransigeant, possessif, dominateur, il le proclame !

— Encore un souvenir : nous étions convenus, un vendredi, de prendre un verre, le lendemain, à 11 heures, dans un bistrot du boulevard de Charonne dont les jeunes habitués l'intriguaient. S'agissait-il de voyous ? Ajoute que j'étais curieux d'imaginer, sur l'emplacement, peut-être, de ce bistrot, le chemin où Jean-Jacques Rousseau avait été renversé par le gros danois de Monsieur de Saint-Fargeau. Je m'apprêtais donc à le rejoindre quand une panne d'électricité me cloue bêtement à mon domicile. Impossible de l'atteindre ; il était déjà en route. Je me précipite boulevard de Charonne : il n'y était plus. En rentrant, je trouve ce billet : « J'étais allé exprès à la poste, mon téléphone étant hors d'usage. Il n'y avait personne chez toi. L'après-midi, j'ai rappelé d'une cabine et regardé ma montre : il était 14 heures précises ; ta ligne était occupée. A 14 h 10, tu n'étais plus chez toi. *Mais que fais-tu donc ?* »

Je m'étais, comme à l'armée, absenté sans permission !

— Et tu t'étonnes qu'il t'ait, un jour, posé un lapin !

— Souvent, tu t'en doutes, je l'entreprenais sur les rapports de l'amitié et de la liberté. Il m'administrait alors une leçon de méthodologie : « Ces rapports, pardonne-moi, tu en parles fort mal. Je suis prêt à t'accorder que la tyrannie, en général, indépendamment de notre propre cas — dont il convient, dans toutes nos analyses, de relever l'unicité — est incompatible avec l'amitié. Or, tout le problème est là. Pourquoi t'ai-je donné l'impression d'être tyrannique ? Simplement parce que, librement, tu te montres inamical. Je te réclame des lettres parce que tu n'en écris pas. De même que l'amitié exige (à maintes reprises, tu l'as honnêtement reconnu) des confessions exhaustives et régulières, le seul fait de se taire étant répréhensible, de même elle requiert la spontanéité des gestes et des égards. De ce point de vue, les observations que nous échangeons ne se situent pas sur le même plan. Toi, tu me reproches... mes reproches. Tu m'en veux d'aliéner ta liberté. Tu n'admets pas que j'invoque ton insensibilité, ton égoïsme. Mais, implicitement, tu revendiques cet égoïsme comme qualité constitutive de ton sentiment pour moi.

Comme c'est curieux, comme c'est étrange ! Tu le revendiques comme tel, puisque, dans les moments cruciaux de ma vie, tu te retires du jeu et me laisses royalement tomber. »

— Comment le laisses-tu tomber ?

— Mais en manquant à mes devoirs. Souviens-toi : une lettre tous les six jours, et d'autant plus attendue que mes recherches m'amenaient à travailler six mois par an à la bibliothèque universitaire de Göttingen.

Je te lis le document en question.

Contrat

Entre Monsieur N. [nous devions chacun écrire de notre main nos nom et prénom], demeurant à Paris, 4, rue Chomel, provisoirement domicilié à Göttingen, Schillerstrasse 11, et Monsieur N., demeurant à Courbevoie, 40, rue Baudin, il a été stipulé ce qui suit :

1. Monsieur N. s'engage sur l'honneur, pendant toute la durée de son exil dans la province de Basse-Saxe, à mander régulièrement une épître à Monsieur N. tous les six jours, en d'autres termes à lui adresser cinq lettres par mois où seront consignés sans mesquinerie tous les détails touchant sa vie, ses mœurs, ses déplacements, et ses travaux divers.

2. Monsieur N. se réserve le droit, en cas de fièvres ou de fatigues extrêmes, d'espacer raisonnablement les épîtres susmentionnées. Au cas où il se verrait dans l'impossibilité physiologique de tenir sa parole, il lui reviendrait de dicter de ses nouvelles, en langue française, à un scribe de son choix qui les manderait illico à la deuxième partie du contrat.

3. Monsieur N., de son côté, s'engage à respecter avec une égale loyauté le contenu du paragraphe 1, relatif aux obligations de Monsieur N., et à les lui rendre en retour. Il revendique le droit de bénéficier pareillement des clauses restrictives et atténuantes du paragraphe 2, compte tenu de sa santé précaire, de l'air nocif de la ville capitale et des occupations insipides qui l'y retiennent.

Fait à Paris, le...

Ainsi, le septième jour, j'étais coupable d'un retard de vingt-quatre heures qui me paralysait. Ma faute était irréparable.

Loin de l'amadouer, un coup de téléphone aurait exacerbé sa rancœur. En même temps que du remords, j'éprouvais une lassitude. Piégé par ma négligence et ne sachant comment me tirer d'affaire, je prétextais, en dernier recours, un épisode infectieux aigu pour bénéficier du sursis prévu dans le contrat.

Il m'écrivait : « La nouvelle de ta maladie m'apaise. Te voici plus faible et, conséquemment, plus facile. Mais tu ne tarderas pas à reprendre du poil de la bête et à me repousser. »

— Quel gâchis et quel calvaire !

— Quand je m'en plaignais, il prenait en s'esclaffant la pose d'un flagellant. Mais nous portions chacun notre croix. Ses réprimandes étaient invariables. Je le tourmentais par omission : « Tu n'as pas l'air de vouloir que nous nous voyions beaucoup... Tu me tends par devoir une joue de nourrice sèche... Tu n'as même pas eu l'idée de me rapporter une tablette de ce chocolat noir dont je raffole. Ah ! ce n'est pas pour Judith que tu arriverais les mains vides ! »

Il souffrait de mes départs incessants. Et moi, en avais-je seulement de la peine ? J'en avais, mais il ne m'en créditait pas : « Tu affectes d'être malheureux de quitter ton ami, mais c'est une conduite-paravent. Je ne suis que le bourdon de ta vie affective. »

Il relevait avec humour les aigreurs d'estomac dont j'étais la cause : « Depuis ton départ, ma passion pour toi va croissant d'heure en heure. Après s'être restreinte à l'âme et l'avoir assaillie quatre jours, c'est au corps, à mon pauvre corps qu'elle s'attaque. Dès samedi, les viscères étaient gagnés par la douleur. Dimanche, c'était hier, les parties génitales s'enflammaient. Et ce matin — odieux avilissement —, c'est à des régions encore plus infâmes que le mal s'étend. Je redoute qu'il ne s'y installe. Mon Dieu! Mon Dieu! A-t-on jamais vu passion plus dévastatrice? »

— Une souffrance drôlement détournée!

— Voilà le mot que je cherchais. Tu formules parfaitement le mécanisme; il ne jouait pas que pour moi. Non pas dominée, sinon illusoirement, mais détournée. Il n'était pas homme à comprimer ses sentiments, à se repaître d'euphémismes. Il éclatait, ouvrait les vannes, puis détournait. Pour en revenir à son propos, dont il savait qu'il me blesserait, il se rattrapait en me faisant rire tout en donnant libre cours à ses jérémiades. Il soufflait le chaud et le froid.

De son supérieur qui l'avait pris en grippe, il disait froidement : « C'est une bête malfaisante! » et s'en trouvait mieux. Cette seule locution soulageait son humeur. Il avait eu avec lui un entretien des plus houleux : « Imagine que je lui ai dit au bout d'un quart d'heure : "Pardonnez-moi, mais je dois vous quitter. Le temps me manque cet après-midi pour vider l'abcès. J'ai rendez-vous avec l'élite de mes éditeurs et je vous assure des sentiments avec lesquels j'ai l'honneur d'être, Monsieur, votre humble serviteur." »

— Ce n'était pas un monstre !

— Aujourd'hui, je ne peindrais plus que sa délicatesse. Lui qui ne connaissait rien aux plantes dont il avait horreur de s'occuper, ainsi de l'azalée que Madame Bibard lui offrait pour Noël...

— C'était un homme de cabinet !

— Parlons-en. La nature le déroutait tout autant que la théologie. Il n'avait vu de limaces et de vers de terre que sur sa table de dissection, pour la préparation d'un examen. Il se serait effrayé d'en surprendre dans un jardin.

Les paysages nouveaux l'embarrassaient ; il ne savait qu'en penser. L'oasis de Nefta où je l'avais promené lui avait paru tranquille, sans plus, propre à la méditation. Retour de vacances, il l'avait cherchée en vain dans le petit *Robert* : « Ton ami se serait montré moins conciliant, s'il n'avait craint de te heurter. Une fois encore, tu t'es emballé. »

Se réclamant du goût soi-disant universel d'Huguette, il avait définitivement classé les paysages par ordre de mérite : la baie de Rio, incomparable, hors concours ; l'ouverture de Delphes sur la plaine sacrée, avec les oliviers à perte de vue ; le golfe de Tunis depuis les hauteurs azurées de Sidi Bou Saïd, une des cinq merveilles du monde ; les forêts de Sequoia Park, en Californie ; le Grand Canyon du Colorado. La liste était close.

Tu m'as fait perdre le fil avec ton homme des villes. J'étais sur le point d'évoquer cette azalée encombrante qu'il ne pouvait, par politesse, mettre à la poubelle, et que, suivant les instructions de Madame Bibard, il baignait, tous les deux jours, dans l'évier, auparavant impeccable, de sa cuisine. « Faites-la boire jusqu'à plus soif! — Mais à quel moment m'arrêter ? — Au bout de deux ou trois minutes, quand vous ne verrez ni n'entendrez plus de bulles. » Cette opération tournait à l'esclavage. Il lui tardait de voir l'azalée dépérir. Une brève recherche étymologique — *azaleos* signifiant, en grec, desséché — lui avait inspiré un geste diabolique : pousser le chauffage à fond. Or, bien que préférant la fraîcheur, l'arbuste avait refleuri contre toute espérance. Madame Bibard était aux anges.

— Et sa délicatesse ?

— Il avait pris la peine, lui qui n'aimait pas la nature, de se renseigner, chez un marchand de graines, sur les métamorphoses d'un jardin. « Songe à tous les bouquets promis : tulipes et jonquilles, anémones et forsythias. A la saison des lilas, tu sortiras ta grande échelle. Bientôt tu manqueras de vases pour les freesias et les lupins. Quand ils seront fanés, ce sera le tour des dahlias et des chrysanthèmes... »

Sa démarche m'avait ému. Il était généreux. Pingre, mais généreux, dépensant son temps plutôt que son argent. De Paris à Saint-Jean-de-Luz, c'est moi qui payais les frais d'essence quand ma famille l'invitait pour l'été !

— Peu après votre rupture, que j'ignorais, nous nous sommes salués au bar du Pont-Royal.

— Il t'a demandé de mes nouvelles ?

— Non, c'est moi qui lui en ai donné. Je n'étais, je le répète, au courant de rien. Il a été très sec, très expéditif : « J'ai cessé de le voir pour un tas de raisons. C'est l'être le plus intéressé que j'aie rencontré ! » J'étais interloqué.

— Tu ne l'as pas cru, j'espère. Enfin, tu me connais ! Intéressé, moi ? Il en a de bonnes ! Panier percé, oui. Quand je dînais au restaurant avec des amis, sa première question, le lendemain matin, la question qui lui brûlait les lèvres, était de savoir non comment ça s'était passé, mais qui avait payé quoi. Tu ne me vois tout de même pas divisant en trois ou quatre la salade minceur d'Huguette, le foie de veau de Poulet et le cervelas rémoulade de Judith ? Ou réclamant à Judith, qui ne buvait que du Schweppes, sa part de bordeaux supérieur ? Il me paraissait plus simple de régler le tout. Mais, comme s'il y était allé de sa poche, il désapprouvait furieusement, et, plusieurs jours de suite, me sciait : « Non, vraiment, cela ne s'imposait pas. Peux-tu me dire à quoi rime cette forfanterie de prodigalité ? Aurais-tu oublié cette bouteille de Riesling "vendanges tardives" servie à d'ignares étudiants du Midwest qui auraient trouvé leur suffisant dans le plus minable rosé de Provence. Et si ton ami, qui végète, te réclamait un peu d'argent pour sa garde-robe ? Hein ? »

Tu me chagrines avec ton histoire. J'aurais préféré ne rien savoir. Je pourrais en éprouver de la colère. Eh bien non, cela ne me fait ni chaud ni froid, comme si j'avais, en trente ans ou plus, claqué mon capital de patience.

Je ne vais tout de même pas, pour me blanchir, étaler dans les vitrines du Pont-Royal tous les cadeaux que je lui ai faits : un humidificateur à cigares Davidoff, une chancelière en daim de chez Hermès, une gouache de Poliakoff... Je ne m'en vante pas. A-t-on du mérite à donner?

— Et ses cadeaux à lui?

— Une cloche à fromage et le Verlaine de la Pléiade, en tout et pour tout. Je n'en tire pas un cours de morale, mais zut, après ce que tu m'apprends!

L'hiver dernier, Huguette, prise d'une fringale de petits plats — on l'aurait crue enceinte —, et trop à l'étroit dans son studio, le conviait chez moi une fois par quinzaine. « A condition, lui disait-il, que tu m'abandonnes la vaisselle. A chacun son travail! » Il s'en acquittait gravement, comme pour ses chemises, avec des gestes affairés de vieille demoiselle.

« Mais surtout pas de folies! Ni saumon ni foie gras! Un rôti de bœuf, un tumulus de flageolets, un autre, de purée, pour Poulet qui a les intestins fragiles. Tu connais mon appétit d'oiseau. Pourtant, je ne renoncerai pas au fromage. C'est la saison du reblochon. Barthélemy te conseillera. »

Lorsque apparaissait le plateau de fromages, il caressait la cloche de verre, comme un commissaire-priseur aurait effleuré des doigts un objet de Benvenuto Cellini. Et se tournant vers moi : « Dis à nos amis qui t'a offert cette merveille ! »

— Ses frères, que j'ai bien connus, avaient le cœur sur la main.

— Lui aussi, dans son secteur. Je ne l'accable pas, je l'expose.

Sa lésinerie lui venait de ses parents. Elle frisait le comique, au restaurant surtout. Trois ou quatre fois de suite, ils compulsaient la carte, confondus par les prix, puis, la tenant à bout de bras, déclaraient qu'ils s'étaient levés tard, après une semaine surchargée, qu'ils n'avaient pas grand-faim et qu'une salade verte toute simple, plutôt qu'un soufflé de grenouilles ou une brioche de foie gras, leur ouvrirait l'appétit.

Je détendais l'atmosphère en rappelant que Lucien de Rubempré, débarquant à Paris, avait déboursé cinquante francs, une fortune, pour un dîner chez Véry.

« C'est la stricte vérité, mais tu pourrais spécifier, à l'intention de maman, si parfaite maîtresse de maison, toi qui as passé toute une année à lire Balzac, de la première à la dernière ligne — car, je l'affirme, je n'ai pas d'ami plus cultivé —, que ce repas, au demeurant léger, du moins pour les mangeurs de ce temps-là, avait coûté plus cher à Lucien qu'un mois de son existence d'Angoulême. Tiens, il faudra que Furet m'apprenne ce que ces cinquante francs représenteraient grosso modo ; nous nous voyons demain soir chez Denise.

» Si j'ai bonne mémoire, Lucien avait commencé par des huîtres d'Ostende, un *must*. Combien ? Balzac n'en souffle mot. Elles étaient chères et ventrues, ces huîtres qui ont causé tant de mortelles indigestions sous la Restauration. Je doute que Rubempré en ait commandé plus d'une douzaine. Dans un autre roman, Marsay, ce dandy, en avale au saut du lit... »

Ainsi, tout en me mettant en valeur, il me doublait, pour n'être pas en reste, et me vassalisait, m'excitant à prendre ma revanche sur des thèmes qui lui étaient inconnus, le clan des Quraych au temps du Prophète, ou l'histoire du califat umayyade.

— On le savait fou de Balzac. Il aurait échangé les *Fleurs du Mal* contre l'*Histoire des Treize.*

— Figure-toi qu'il avait dressé la liste de tous ceux qui, au siècle dernier, auraient été ses ennemis ou bien ses frères : « Je me serais brouillé avec Hugo, Stendhal, Michelet, Baudelaire, Maxime Du Camp, mais j'aurais été l'ami de Balzac en ville et de Flaubert par correspondance. »

— Tu le vois, dandy, en Rubempré ou Maxime de Trailles ?

— Lui dandy ? Tu veux rire, quand bien même l'on passerait sur sa façon de s'habiller, de thésauriser, de s'afficher.

Il est vrai que, dans cette interview dont tu fais tes choux gras, il avait lâché le mot que les gazettes ont repris, comme la clef de son courage dans l'adversité. Mais qui pourrait concevoir, sauf à le falsifier, un dandy soudoyé, confessé sur la place publique, et ce par une femme ? Autant gloser sur le dandysme des Bibard ! Mais je t'accorde qu'il y avait en lui du Rubempré première manière, et, dans ses débuts, une teinture des Persans de Montesquieu.

— Dans ses lettres, il te parlait de Paris ?

— Avec flamme et candeur. J'étais l'ami demeuré au pays. « Paris brumeux est incomparable... Le gris lui sied mieux que le bleu.. Le spectacle de la Concorde avec le Ministère de la Marine et l'hôtel de Crillon, la double perspective de la Madeleine et du Palais-Bourbon me remplissent de bonheur... Ces magasins merveilleux, ces richesses faramineuses, comment ai-je pu les ignorer si longtemps, comment parviendrai-je plus tard à les quitter sans douleur ? »

— Comment « plus tard » ? Il se serait installé en province ?

— Pas du tout ! Il entendait par « plus tard » le jour de sa mort.

Comme c'était quelqu'un de très studieux, de très organisé, il avait, dès la première semaine, exploré la Montagne-Sainte-Geneviève, et d'autres quartiers de Paris, en déambulant dans le cadre du *Père Goriot* ou d'*Illusions perdues.* Ces pèlerinages m'exaspéraient. J'en avais connu d'autres : Tours et Angoulême pour Balzac, Langres pour Diderot, Strasbourg pour Goethe ou Maître Eckhardt. A Bordeaux, Catulle Mendès m'avait été épargné.

Il avait aussi, tant les livres, en lui, s'incarnaient, flâné des Invalides à la rue de Babylone, en mémoire du très jeune homme en culotte noire dont la rencontre avait troublé Des Esseintes, une page d'*A Rebours* qui le prenait par les entrailles.

La pratique des romans, de Balzac en particulier, lui commandait, dans ses moindres démarches, une prudence de serpent. « Je n'en suis, disait-il, qu'aux exercices de solfège. Je m'accorde deux ou trois ans pour aboutir, mais sans les avanies de Rubempré. »

Il repérait les cafés où l'on était vu, les habitudes des uns et des autres, les bourdes à ne pas commettre, les moyens d'approche. « Mets-toi bien en tête que, pour atteindre les gens qui comptent, le téléphone s'impose, contrairement aux idées reçues. L'expérience prouve qu'à Paris, entre personnes de qualité, à condition de ne pas se tromper d'heure, les plus insignes recommandations se font par téléphone et n'en perdent rien de leur autorité. »

— Toujours ce tranchant, cette présomption !

— Tu ne le vois que sous ce jour. Ne sois pas trop sévère !

Écoute ce qu'il me racontait : « Hier, Boulevard des Italiens, les plus jolies femmes se retournaient sur mon passage. Place de la

Concorde, un attroupement s'étant formé, j'ai dû, pour me libérer, signer des autographes et jouer des coudes. La gloire, coco, la gloire ! »

Il en était loin ! C'est à cela que je pensais en suivant Alice Sapritch au Pera Palas d'Istanbul, sa ville natale. Souvent, nous l'apercevions chez Lipp. Princière et affable, elle nous tendait sa longue main à baiser par-dessus la petite table qu'elle occupait, en fin d'après-midi, dans la rangée de droite. Comme on lui rappelait, dans ces salons vieillots où elle regardait, enfant, son père se ruiner au jeu, que ses films passaient désormais en Turquie, elle avait répondu, d'une voix lasse : « Vraiment ? J'ai fait tant d'efforts pour être connue, tant d'efforts... »

La gloire, il n'avait que ça en tête. Non pas l'argent, la gloire, moins par ses livres, tellement à contre-courant qu'il n'en pouvait rien attendre, que par des mondanités fastidieuses qui assureraient, pour reprendre son expression, sa présence parisienne symbolique. « N'oublie pas que Flaubert, cet ours, qui n'a de leçon de dignité à recevoir de personne, fréquentait chez la princesse Mathilde, et que Le Clézio, notre Indien principal, depuis Baudelaire et Catlin, vient d'acheter dans le Faubourg Saint-Germain. »

— Ses sorties, qui n'allaient pas sans heurts, car il était à la fois impétueux et circonspect, lui fermaient bien des portes.

— Je le dissuadais de se disperser, sans me rendre compte qu'il poursuivait une ascèse et une stratégie. Dans les cocktails, il bourdonnait, grimaçait, lâchant un mot, une vacherie, se pavanant en rectifiant sa cravate, fêté par les uns, boudé par les autres, pour, au bout d'une heure, me pousser vers la porte : « Aucun intérêt, tous des suiveurs, mais il faut en passer par là. Telles sont, dans Saint-Simon, les sueurs employées à l'avancement des fortunes ! »

Le lendemain, au téléphone : « Ta présence m'a dérangé. La prochaine fois, nous irons chacun de notre côté, ou, mieux, à des heures différentes. Je te retrouverai à la sortie. Ne te fâche pas : j'ai compris que tu étais ma conscience morale, au sens où ce mot désigne des tâches essentielles. »

— Conscience morale, ce pouvait être, à la longue, assommant. Tant va la cruche à l'eau...

— C'est bien ce qui s'est produit.

— Tu l'épiais, il ne se sentait pas libre.

— Dans le monde, oui. Pour le reste, il m'en aurait voulu de ne pas le questionner tant soit peu.

« Tu es sorti hier? — J'ai pris un chouïa de bon temps où tu sais, dans le corridor des merveilles, avant la réunion du comité consultatif. — Tu as fait des choses? — Rien de spécial, des petites choses, comme d'habitude, pas très gratifiantes, plutôt bâclées. Nous sommes si différents! Je ne suis doué que pour les attouchements à la sauvette. Les formules de sagesse, je les enseigne, mais sans les appliquer. »

— De quelles formules s'agit-il?

— De toutes les autres possibles, d'aucune en particulier. Tu ne me vois tout de même pas régentant ses plaisirs! Seulement, je m'étonne qu'il n'ait jamais pris le temps d'une soirée, sinon d'une nuit.

— Tout en gémissant de vivre seul.

— « Le mariage, cette ignominie! »

— Tu l'imites à merveille, mais le tien?

— Une trahison qu'il déplorait. J'émigrais de son cœur, à son corps défendant.

— Et pourquoi pas une liaison?

— C'est à lui que tu penses? Parce qu'il considérait les liaisons comme des habitudes qui auraient contrarié les siennes.

Tu n'as évidemment pas, comme moi, enduré les rites de son coucher. Le spectacle d'un lit sens dessus dessous, à 8 heures du matin, l'aurait démoralisé pour la journée. Il n'avait que très rarement, à ma connaissance, partagé le grand lit où il s'endormait, pris de court, sitôt gisant, n'ayant le temps ni d'éteindre les lampes de chevet, ni de déchausser ses lunettes, ni de repousser les journaux dont la lecture était, chaque soir, de ce fait, reportée au moment du petit déjeuner. Il se réveillait dans cette position, ravi de n'avoir pas glissé d'un pouce. Madame Bibard avait ordre de ne jamais toucher à ce lit, rarement aéré, et qui, selon lui, n'avait nul besoin d'être reconstitué. « Dommage, lui disait-elle, que vous n'ayez pas de balcon. C'est si pratique, un balcon ! J'exposerais le matelas au soleil. »

Ayant enfilé ses babouches, il lissait d'une main le drap du dessus et tapotait son gros oreiller, se félicitant en aparté de la douce nuit qui venait de s'écouler : « Je dors comme une bête, ou, mieux, comme un enfant, ce qui ne va pas de soi pour un homme de mon âge. »

Balancée entre la discrétion, la sollicitude et l'honneur du ménage, cette pauvre Madame Bibard devait attendre des semaines pour changer au moins le drap-housse en défendant avec fermeté l'hygiène de son patron.

— Et pendant vos vacances?

« Avec moi, chère Fatma, disait-il d'entrée à la femme de chambre de l'hôtel quel que fût son prénom, vous n'aurez aucun travail. Je ne bouge pas de la nuit. »

— Mais la soudaineté de son endormissement!

— Le bavardage d'un lit à l'autre, cette friandise de la vie ensemble, me manquait. Nos soirées en étaient écornées. D'où mon habitude de me coucher en premier, pour savourer ses divagations.

« La nuit est une traversée. Permets que je ne m'embarque pas sans biscuits. »

Il disposait son pyjama sur l'oreiller, ses babouches au pied du lit, et, sur la table de chevet, outre son portefeuille, un verre d'eau et des boules Quies, avant de disparaître dans la salle de bains qui s'emplissait, pour mon bonheur, de soupirs, d'interjections et de discours abracadabrants.

« Notre ami Jean passe l'hiver sur les rives du lac Michigan. Qu'il n'oublie pas les vents glacés venus du Nord sans rencontrer le moindre obstacle. Je lui conseillerais d'emporter son bonnet d'ours et de mettre de l'antigel dans sa barbe chaldéenne.

» Il n'aura que quelques kilomètres à faire pour retrouver, en tout bien tout honneur, à Northwestern University, André Bertin, mon ancien élève. Il est prodigieux, Bertin! Ce mélange d'intelligence, de coquetterie, cet air d'escogriffe à la figure poupine, aux mains toujours moites, cette voix grasseyante, cette hilarité de femme mûre!

» Pendant les vacances de Pâques, il est venu me voir chez mes parents; j'étais seul à la maison. Entre autres histoires, je lui ai raconté ta nuit avec Krista. Comme je détaillais, en forçant le trait, la croupe rebondie, les mamelles redondantes, les dessous vert pastel, il suffoquait et se contorsionnait tout à la fois, pâle de dégoût. "Assez! me crie-t-il à bout de forces, la salope, la salope!"

» Après avoir joué pendant dix ans les fiancés éconduits, il vient de passer aux aveux et de me confier qu'il ravaudait, tricotait, cousait, poussait l'aiguille. Je n'en réclamais pas davantage. Ah, je les comprends, ces éplorées, je les console en pensée. Quelle femme supporterait de voir son conjoint penché tout un hiver sur le point d'Alençon! »

Il passe la tête par la porte entrebâillée. « Tu ne mesures pas suffisamment la grandeur de la chose. Entrer premier à Normale Sciences, travailler toute sa jeunesse sur la théorie des ensembles pour se consacrer ensuite au point de Venise ou d'Alençon! S'être colleté avec des problèmes mathématiques pour passer maître dans l'art de diminuer! » Il en riait si fort qu'il lui prenait des quintes de toux. La colère montait dans les chambres voisines.

Sa toilette était interminable; je ne m'en plaignais pas. Au lieu de se savonner franchement de la tête aux pieds, il procédait par petites touches, attentif à telle rougeur de la peau qui lui avait échappé la veille, à moins qu'elle n'eût surgi depuis, mais pour quelle raison? Alors, il se séchait au galop, s'avançait dans la chambre et posait le pied sur le rebord de mon lit : « Ça, c'est un nævus, j'en ai une ribambelle, comme mes frères, et ne m'en inquiète pas, mais cette tache violacée, à la lisière du gros orteil... Ne me dis pas que tu ne vois rien... Prends tes lunettes, tiens, je te les passe... Je ne pense pas que ce soit le soleil. Dès le premier jour, dès l'avion, j'ai pris mes précautions... Je pourrais m'être écorché à ton filet d'oursins. Si c'était, ce que je ne crois tout de même pas, un mélano-blastome, ton ami n'en aurait plus pour longtemps ! »

Son corps, qu'il n'appréciait guère, à l'exception des mollets qu'il jugeait dignes d'un cycliste de niveau supérieur, le préoccupait outre mesure. Je le rassurais tant bien que mal et il réintégrait la salle de bains en chantant à la manière de Gérard Souzay : *Il faut passer dans ma ba-ar-que.* Dans un instant, son mégot mouillé aux lèvres, il s'occuperait de ses ongles. Heureusement, il en avait encore pour un bon quart d'heure.

« Reconnais que je ne t'ai pas embêté avec mon analyse, et que tu ne t'en es guère soucié. Il ne se passe pas de séance que je n'évoque nos disputes et notre fidélité. Mais ce n'est pas de cela que je voulais te parler. Je porte le fardeau de mes nuits, car non seulement je rêve à pleins tuyaux, mais je m'en souviens point par point à mon réveil et tout au long de la semaine. Friedman s'en frotte les mains, d'autant qu'il m'avait demandé de tout retenir d'un rendez-vous sur l'autre.

» Tu es bien placé pour savoir que je parle énormément et fort. Tu me l'as reproché mille fois. Ma voix fatigue, pourquoi le nier ? La plupart de mes interlocuteurs tombent de sommeil avant la fin de nos entretiens. Il se pourrait que la gêne toute récente que j'en éprouve ait produit un rêve. Je suis allongé dans le bel appartement de la rue du Bac. Friedman, très chétif d'apparence, me déclare, au bout de vingt minutes, qu'il est las de m'écouter, que son esprit s'embrouille, qu'il lui faut prendre un peu de repos, et que c'est, de toute façon, l'heure de sa sieste. Me retournant à ces mots, je m'aperçois qu'il m'analysait en veste de pyjama, étendu sur son lit, dans le prolongement du divan.

» C'est fabuleux, non? Et toi, mon pauvre biquet, je crois t'avoir entrevu dans un vilain rêve où je fessais Poulet sous les yeux d'un adolescent en salopette, dans un arbre perché. Ce quelqu'un est dans la position, un sécateur à la main, où tu te trouvais sur la photo de Saint-Jean-de-Luz. »

— Et si nous n'allions pas dîner? Je me contenterai d'un œuf à la coque. Continue, je t'en prie.

— « S'il est vrai que je dors comme il n'est pas permis, c'est sans te quitter pour autant, puisque, la nuit d'après, tu dînais à la maison. — Je déjeunais! Tes parents ne reçoivent pas le soir. — Ce n'est pas une raison : tu dînais effectivement et tu avais l'air guindé d'un garçon de noce. Un détail m'a frappé : tu gardais de grotesques gants gris perle à tes mains et te refusais à les ôter, même pour saisir ton couvert. »

— Tu te gantais pour consommer?

— Ses récits m'enchantaient, celui, surtout, où il délivrait sa famille d'un gorille. Il avait fini par y croire! « Le monstre s'élance dans la chambre à coucher de mes parents, entre le téléviseur et la commode Louis XVI, et pourchasse mon père à grands cris. Je vole à son secours et me barricade avec lui dans la salle à manger. Ma mère étant, à son tour, menacée, je ressors, au péril de ma vie, pour la ramener auprès de mon père. A ce moment, mes parents, réunis et sauvés, me laissent seul et sans défense. »

— Et tes rêves à toi, tant que nous y sommes?

— Des cauchemars qu'il versait à son crédit. Une nuit que je somnolais en attendant, sans trop de désir, étant donné l'heure tardive, la visite de Judith, je vois, comme un film en accéléré, mon lit se gonfler, prendre de la hauteur, se changer en meule de foin, puis s'affaisser en tas de fumier. Me relevant épouvanté, je le découvre, lui, toujours en songe, ricanant au coin de la cheminée, une main posée sur l'épaule de Poulet. La porte était ouverte ; je me précipite dans l'escalier, dans ma voiture. Je démarre en trombe et renverse une écolière à l'angle de la rue Chomel et du boulevard Raspail.

Le lendemain, au téléphone, il exulte : « Que ton rêve est drôle ! Je conviens qu'en raison de sa clarté, il laisserait de bois un analyste. Il exprime si ingénument tes légitimes préoccupations quant à certain sujet. Sublimation inénarrable ! Si tu convertis ta couche en fumier, c'est que Judith s'entête à t'y rejoindre. Ta litière attendait, pour se transformer en un bon lit douillet, que nous nous y glissions tous les deux. Seule ta fuite m'a surpris, car j'étais près de toi à guetter cette reconversion ; Poulet ne nous aurait pas dérangés. Si ensuite tu écrases une pitoyable pétasse, la même que symbolisait le fumier, c'est, en supprimant le dernier obstacle, pour venir plus vite me câliner.

» Que je suis aimé ! Quelque chose, en effet, me captive dans tes visions : la persistance de la femme trucidée ou ravalée, en fonction, soit de ma présence, soit de l'espoir de ma visite. Sincèrement, c'est très, très important pour la clarification de nos rapports. Écoute-moi bien : ou je suis, inconsciemment, un écueil à ta recherche de la femme, ou tu traduis ton désir d'une vie conjugale... avec moi identifié à une femme. C'est l'un ou l'autre. A toi de choisir ! »

— Alors, jaloux ou pas ?

— Très jaloux de ses parents. Il m'avait énuméré ses griefs. A Gstaad ou ailleurs, ils lui destinaient la chambre la plus moche, sans salle de bains et donnant généralement sur le garage de l'hôtel. En outre, ils avaient la manie, détestable pour leur entourage, de se frôler, de se prendre la main, de se couver des yeux : un manège qui le crispait depuis sa petite enfance. Dans leurs promenades, il avait remarqué que sa mère préférait de beaucoup le bras de son père au sien. Bref, il se sentait en tiers, repoussé, toutes proportions gardées, comme dans l'affaire du gorille.

— Mais de toi et de Judith ? On comprendrait mieux.

— Nous en avons débattu paisiblement, la question étant de savoir si, en l'occurrence il y avait ou non partage : « Tu reconnaîtras que toi et moi ne pouvons transiger sur la division ou la corruption de l'amitié. Nous sommes bien d'accord ? Qu'en est-il, au juste, de Judith ? »

Pour ma défense, je n'avais pas eu à mentir. La compagnie de Judith m'ennuyait. Ce n'était plus que physique, et encore, de moins en moins. La véhémence du désir était perdue.

A l'exemple d'une de ses amies qui s'était offerte à un tendre *campesino* sur le toit d'un autocar mexicain, nous rêvions d'improvisations roboratives. Désormais, nous délaissions la chambre à coucher pour l'étroit canapé du hall, le balcon par temps chaud, voire la table de la cuisine d'où nous nous relevions gaiement, les reins moulus par l'inconfort. Mon impudicité le déridait, le calmait. Un soir même, je lui proposai d'annuler mon rendez-vous hebdomadaire. « Mets-moi au pied du mur. Je suis prêt à l'avertir, au dernier moment, que nous sortons en garçons, toi et moi, et que je ne suis plus libre.

» — Pauvre Judith ! Brave fille ! *Poor little creature!* Inutile de lui infliger cette épreuve. Je te crois sur parole. »

Judith ne le tourmentait plus. Voyant mon désir pour elle se faner, il s'était mis en tête de me dévoyer à sa façon...

— Tu connais le mot de Gide : le plus

grand plaisir d'un débauché... C'était à propos de Wilde. Mais vos goûts n'étaient pas les mêmes ?

— C'est évidemment ce que je lui objectais. Mais il soutenait que ça n'avait pas la moindre importance, que mon corps ne ferait pas le difficile et qu'une telle expérience, même unique, illustrerait notre complicité, indépendamment du plaisir que je pourrais ou non ressentir. Dans ce domaine, ajoutait-il, tout est histoire d'interdits, sociaux ou religieux, et de circonstances plutôt que de vocation. Une chambre exiguë, une couche partagée induisent des rapports a priori inconcevables.

Il envisageait donc de m'adresser à Göttingen, où je me morfondais en dehors des heures de bibliothèque, le petit Penaud, un étudiant de la rue Saint-Guillaume qui était fou de lui et de sa conversation. « Il m'embrasse tellement que je finirai par attraper des boutons. C'est dégoûtant ! »

Penaud, ce n'était pas son nom, il le désignait ainsi pour l'air mi-craintif, mi-coupable qu'il prenait en posant une question ou en recevant un conseil. Tu remarqueras, en passant, que, pour se les approprier, il avait dépouillé de leur patronyme ses intimes les plus accommodants : Poussin, Penaud, Poulet. Il les présentait sous leur pseudonyme. Nul, dans le monde, ne connaissait leur identité véritable.

Pendant le long hiver que je vouais à mes études germaniques, nous ne traitions plus, dans notre correspondance, que de cette entreprise à la Merteuil :

> Penaud n'est pas vraiment *mûr*. Je le *travaille* et te louange sans cesse de sorte que je me fais à moi-même un drôle d'effet. Il m'adore, alors que toi seul comblerais mes vœux.
>
> Tu appréhenderas mieux la tactique en te remémorant ma théorie des circonstances. Si tu venais prochainement à Paris et que vous fassiez connaissance, tout serait à la fois possible et aléatoire. Dans ton grand appartement, sauf à condamner deux ou trois pièces sous prétexte de travaux, il s'étonnerait que je le plante, car il n'a rien d'un Penaud-couche-toi-là ! Tu serais toi-même gêné aux entournures, je ne précise pas lesquelles. Enfin, ce serait absurde, notre machination n'étant viable que par l'attachement qu'il me porte. Je ne vois donc d'autre solution qu'un week-end à Göttingen. Hier, j'ai marqué un point en lui vantant les charmes de ton quartier : les maisons à colom-

bages et l'hôtel de ville du seizième siècle. Le voyage ne lui fait pas peur. Il connaît sur le bout des doigts son itinéraire : Paris-Fulda-Bebra-Göttingen. Eu égard à ton impatience, je lui déconseille de descendre à Fulda où il tenait à visiter l'église carolingienne ; c'est son côté *Guide bleu* que nous avons en commun.

En résumé, je ne vois d'autre obstacle que son amour-propre qui lui fait redouter cette plongée dans l'inconnu. C'est pourquoi, il me paraît indispensable d'insérer dans ta prochaine lettre, mot pour mot, et sans y changer une virgule, le passage suivant que je lui montrerai confidentiellement comme venant de toi :

« Ce que tu me dis de Penaud m'affecte, car j'espérais son arrivée tout en anticipant ses scrupules. Cette excursion, s'il y consentait, ne le diminuerait aucunement à mes yeux. Qu'il n'ait pas la crainte que je vienne à la gare prendre sa livraison comme l'on ferait d'un colis. C'est complètement idiot ! Puis-je compter sur ton talent de persuasion ? »

Qu'il ne soit pas autrement débattu de lui dans cette lettre, car il désirera peut-être la lire intégralement.

— Et alors ?

— Ça ne s'est pas fait, pour je ne sais plus

quelle raison : un deuil de famille, la proximité d'un concours. Je ne te cacherai pas que j'en ai eu des regrets. Mais — tiens-toi bien ! —, dans son esprit, l'escapade s'était accomplie : « Quel merveilleux week-end ! Et grâce à qui, mon biquet ? » J'étais médusé, Penaud n'ayant pas plus quitté Paris que Des Esseintes dans le roman de Huysmans. « Mais si, mais si, vous l'avez eue, votre lune de miel. Comme d'habitude, je me suis effacé. Des amis comme moi, ça ne court pas les rues. Voilà qui te repose de Judith. On s'embourgeoise avec les femmes. Au point où vous en êtes de vos amours, je ne vois pas par quelle délicatesse d'honneur tu lui tairais ta frasque. Elle se sentait trop sûre d'elle, ta Judith ! Je l'entends te questionner de sa petite voix de sainte nitouche : *How was it, dear?* Tu lui répondras, corrige-moi si je fais une faute : *Not bad, just different, quiet different!* — Non pas *quiet, quite!* — Inutile de la gorger de détails. Qu'elle reste sur sa faim ! »

Se moquait-il ? L'humour servait-il de refuge à son désappointement ? Il s'agissait, à l'en croire, d'une affaire mûrie et aboutie dont il se délectait. A la réflexion, je ne lui donnais pas tort.

C'est peu après, pour ne pas voyager seul,

qu'il m'avait entraîné à Kreuznach, chez sa tante Frieda, à seule fin d'éprouver comment elle réagirait à une fable de La Fontaine et à une œuvre de musique classique.

Tante Frieda, moins choyée que ses sœurs, n'avait pas été jugée digne d'être rééduquée à la française dans un de ces pensionnats de Nancy où se pressaient les filles de famille au lendemain de la Première Guerre mondiale. Elle continuait donc de s'exprimer dans son patois, ne connaissant du français que les mots qui ennoblissaient son quotidien : pain, salade, poulet, artichaut, bananes.

Pour notre expérience, nous projetions de lui traduire en allemand : « Deux vrais amis vivaient au Monomotapa... », mais en laissant tomber « Je vous rends grâce de ce zèle » et d'autres politesses qui nous auraient coûté trop de peine.

Le plus difficile avait été de convaincre Frieda, tout entière à ses casseroles, de prendre place, quelques minutes, à nos côtés. Dès le premier vers, elle avait bougonné : « Monomotata! vous ne m'apprenez rien. Des gens de cette sorte, j'en ai connu à Kreuznach même, sans parler de mon pauvre mari, de plus en plus porté sur le riesling — il disait que c'était mauvais pour ses jambes, mais bon pour sa vessie —, et qu'on a retrouvé dans le lit du sacristain la nuit du bal des sapeurs-pompiers. »

Le cœur nous manquait pour galvauder, en le commentant, ce poème qui était la charte de notre amitié. Comme il était l'heure de se mettre à table, tante Frieda n'a écouté que d'une oreille les *Variations Goldberg* dont nous avions emporté la cassette. « C'est de la musique d'église, n'est-ce pas? Enfin, plus ou moins, j'ai perdu l'habitude. Avec le curé qu'on nous a envoyé... Pensez-vous qu'il m'ait rendu visite une seule fois? Il a mieux à faire que de causer avec une vieille retraitée. Heureusement que le bon Dieu est partout! Voyez... »

Sur un bahut chargé de statuettes, de coquillages et de crucifix, entre deux bouquets de paille, elle avait dressé, sur un chevalet de bronze, la photographie de sa meilleure amie, les mains jointes sur son lit de mort. « Personne ne m'a mieux comprise! Lui, je m'en suis bien occupée, j'ai la conscience tranquille, il n'a manqué de rien, mais enfin, vous verrez, ce n'est pas pour dire du mal, ça use, le mariage! »

— Ce week-end chez tante Frieda, j'avoue que je ne l'aurais pas supporté.

— C'est que tu ignores la suite, absolument décisive pour nous, et l'épilogue funeste de cette histoire. Je vais être long, très long. Tu comprendras pourquoi. Arme-toi de patience.

Il l'aimait parce qu'elle faisait tache dans sa famille. Le jour où ses parents l'avaient entendue crier dans l'escalier : « La porte des chiottes ne ferme plus. Claquez-la ! Le bois a travaillé cet hiver... », ils avaient décidé de surseoir à leurs visites : « Le mot "chiottes" dont tante Frieda, dans sa rusticité, méconnaissait la turpitude, avait tout cassé ! Ma mère aurait pu grommeler, comme son cousin Ochsenbein, voyageant, radieux, de Berne à Paris, dans un wagon-lit de première classe, et discernant, au petit jour, sur le robinet du lavabo, une salissure de dentifrice durci : "Fini l'engouement !"

» Mes parents n'ont aucun sens du romanesque. Tu me concéderas que je ne peux pas ne pas aller la voir une ou deux fois l'an. Elle n'a plus que moi et elle est si peu banale.

» Au lendemain de leur mariage, sans que les opposât aucun contentieux, Frieda et mon oncle, pour d'obscures raisons, avaient, d'un tacite accord, pris leurs distances, elle s'installant au premier étage de leur petite maison, et lui au rez-de-chaussée dont la porte de derrière ouvrait sur une enfilade insoupçonnée de jardins et de vergers. Quand il ne se consacrait pas à ses légumes et à ses arbres, il mijotait des confitures ; vers la fin de l'été, des parfums de cannelle et de sucre cuit filtraient sous les portes. Comme ils ne prenaient que rarement leurs repas ensemble, les jours de fête, tante Frieda avait converti la salle de bains en cuisine et bourré de bois de chauffage l'antique baignoire de fonte qu'elle libérerait à la belle saison. "L'hiver, aimait-elle à dire, je n'en ai pas usage. On n'est vraiment sale que l'été, avec la transpiration."

» Ma mère se lamentait sur tant d'incurie : "J'ajoute que ton père pense comme moi. Qu'on fasse lit à part, nous y consentons, l'un ronflant, l'autre pas. Mais de là à se disperser dans leur bicoque ! Est-ce que ce sont des artistes pour se singulariser de la sorte ? Des originaux, tout au plus, et encore... Des inclassables. Inutile de s'interroger. Mieux vaut battre en retraite. Nous ne sommes pas du même monde. Du reste, nos frictions ne datent pas d'hier. Bien avant qu'elle n'éructe, fort inutilement, un gros mot à propos d'une porte déformée, je l'ai surprise en train de boire de la limonade au goulot. Tu m'entends ? Au goulot !

As-tu jamais vu ta mère boire au goulot? Pas même en pique-nique!" »

— La campagne, les pique-niques, quel ennui!

— Cette maison avait un côté champs et un côté rue. Depuis la mort de son mari, Frieda ne descendait dans le verger que pour désherber, de mauvaise grâce, par pure piété conjugale, le pourtour des arbres fruitiers. Ses journées se passaient côté rue, à la fenêtre, les coudes appuyés sur un polochon, son corsage débordant légèrement. Affable et curieuse, mais sans l'ombre de médisance, elle ne ménageait pas les saluts aux passants, même inconnus. Sitôt qu'elle apercevait dans les parages le facteur ou le cantonnier, elle l'invitait à monter, et, sans attendre sa réponse, sortait précipitamment du buffet une bouteille de malaga et deux de ces petits verres moirés qui se gagnent dans les loteries de foires : « Allez, le malaga n'a jamais tué son homme! »

Sur le chemin du retour, et à Paris les jours suivants, nous n'avons parlé que de tante Frieda. J'étais subjugué.

« Quel bonheur pour moi! Viens que je t'embrasse! Tu conçois donc qu'elle me fascine? C'est un personnage de roman. »

— Tant mieux! Je commençais à trouver le temps long.

— « C'est vraiment un personnage! Nous devrions, toi et moi, en faire quelque chose. Couche sur le papier tout ce qui te passera par la tête. Il faudrait privilégier les détails, développer l'essence de tante Frieda à travers les objets qui l'entourent : fleurs artificielles, bondieuseries, assiettes à l'effigie de Bernadette Soubirous.

» Je t'ai raconté la bouteille de malaga. Pour Frieda, ce ne pouvait être que du malaga, en aucun cas du porto ou du schnaps. Elle n'avait fait que deux voyages dans sa vie : l'un à Lourdes, pour son arthrose, l'autre à Nuremberg, à la veille de Noël. Eh bien, cette femme incomparable avait rapporté de Nuremberg non pas des jouets ni des casse-noisettes, mais du malaga. C'est un peu comme si, dans le Sud tunisien, tu achetais, plutôt que des tapis ou des dattes, une bouteille de Chablis. Et les fleurs artificielles? Elle gardait un souvenir exécrable de son enfance en sabots et des corvées d'arrosage. Ne négligeons pas les gauloises, qu'elle se procurait par cartouches entières, ce qui plongeait le buraliste dans un abîme de suppositions : "Rassurez-vous, Monsieur Blind, j'ai passé l'âge de me mettre à la cigarette. C'est pour mes visites, tous fumeurs." Monsieur Blind en avait déduit qu'elle recevait énormément. A l'époque où mes parents passaient encore la nuit à Kreuznach, ma mère avait déniché sous l'oreiller de mon père deux paquets de gauloises, un hommage de tante Frieda, une audace quasi pornographique. Cette femme avait des sens ! »

— Mais ce père dont je ne sais rien encore?

— Et pour cause : je ne me suis trouvé nez à nez avec lui qu'une seule fois. Le misérable en a profité pour m'interroger sur son fils. Je réponds que c'est un ami parfait, comme il n'en existe qu'au Monomotapa, un garçon remarquable, d'une rare indépendance d'esprit. « Vous voyez comme l'on peut se tromper, sauf sur cette marginalité que vous qualifiez, vous, si aimablement, d'indépendance, et qui, je le crains, n'arrangera pas sa carrière. Il a beaucoup de mémoire, certes, mais pour le reste... » Je me hérisse : « J'ai entendu Velan déclarer publiquement, au Collège philosophique, qu'il le tenait pour un des phares de sa génération.
— Ne prenez pas la mouche : l'amitié vous aveugle. Je connais Monsieur Velan et je l'estime. Nous avons pris le café ensemble, ici

même. Il a son opinion, mais je suis mieux renseigné. N'oubliez pas que je suis le père! »

Tu as bien fait de me poser la question. Il était pour sa famille un modèle de docilité. Du moins en avions-nous l'impression. Mais comme Huguette, enfin pourvue d'une maîtrise, donnait des cours d'art dramatique dans un pensionnat de Neuilly, il s'était fendu pour ses élèves, à l'arraché, d'une piécette cruelle où l'on voyait un couple de parents apostropher durement leur belle-fille sur le thème *vous nous avez pris notre enfant* : « Ce n'est pas vous, tonnait le père, qui l'avez abreuvé de lait à volonté, qui avez veillé des nuits d'apocalypse pendant qu'il hurlait à la mort, parce que, pour sacrifier aux lois de l'hygiène, nous reportions sa pâtée au lendemain matin. Ce n'est pas vous qui avez sué comme une bénédictine à le ceindre de bandes Velpeau... » Les mots, toujours les mots! Il se débondait de la sorte.

— Reviens à tante Frieda, maintenant qu'elle m'intéresse.

— Chaque matin, au téléphone, il la remettait sur le tapis : « Le jour de ses quatre-vingts ans, elle me prend par la main et me conduit au fond d'un couloir, devant une lourde armoire lorraine dont elle ouvre la porte à deux battants. J'aperçois des piles et des piles de linge vierge, de draps, de serviettes. "Comme tu le constates, rien ne m'empêcherait de me remarier, mais je n'en ferai rien. J'ai aimé ton oncle. Mon plus beau souvenir, c'est une nuit, vers deux ou trois heures. Des pas dans l'escalier : c'est lui qui tient à m'embrasser, comme ça, sans raison, une idée qui lui vient, puis il redescend se coucher."

» Le mystère, si peu bourgeois, de leurs habitacles séparés m'enchantait. Comme telles particularités qui révulsaient mes parents : que, par exemple, avec ses pauvres moyens, elle ait toujours donné ses draps à laver. Ou que, une fois veuve, elle se soit réabonnée à la *Maison rustique*, au *Chasseur français* et à deux autres magazines dont elle ne déchirait même pas la bande, elle qui passait son temps à la fenêtre et se couchait avec les poules. Comme ils n'entraient pas dans la boîte aux lettres, le facteur montait les lui remettre. Elle lui servait alors un verre de malaga.

» Les bouteilles rapportées de Nuremberg étaient sans prix. Tante Frieda les avait dissimulées au fond de son cabas, dans une torsade de combinaisons et de linge défraîchi, espérant ainsi décourager l'inspection. Mais le douanier avait demandé à voir. Comme sa main s'aventurait dans ce fourbi, tante Frieda, au comble de l'inquiétude, bien que la proximité des fêtes inclinât à l'indulgence, avait touché son front et déclaré un violent mal de tête : "Pourriez-vous m'indiquer la pharmacie la plus proche?" La main compatissante du douanier avait refait surface pour pointer, au-delà de la barrière, une enseigne lumineuse. »

— Est-ce que je me trompe? Il m'a semblé reconnaître à certains détails la tante Charlotte de votre *Femme à sa fenêtre.*

— Charlotte nous a paru plus juste, moins collet monté que Frieda.

Notre week-end de Kreuznach avait commencé comme une farce. Il se révélait crucial. Enfin nous tenions un sujet! C'était un vieux projet que ce livre à deux. Mais notre retour, le lundi, à l'heure où Madame Bibard prenait son service, coïncidait avec une sinistre nouvelle.

— Quoi? La mort de quelqu'un?

— Pire! Les Bibard prenaient leur retraite!

Il s'est mis à pousser des cris. Ses journées, sa vie, son travail, tout s'en irait à vau-l'eau. « Ne crois pas que j'en veuille personnellement à Bibard. Il m'a toujours été sympathique. C'est lui qui m'a débarrassé de mon vieux frigidaire, celui qui produisait des glaçons au compte-gouttes, et de ma cuisinière à gaz. Mais, rapport à sa femme, quel salaud! »

Madame Bibard, qui ne se sentait vivre qu'à Paris, avait boudé un long mois, puis mendié un sursis. Mais la pêche et le jardinage étant pour Monsieur Bibard la condition sine qua non d'une retraite réussie, elle avait, la mort dans l'âme, cédé à ces arguments idolâtres.

« Nous nous connaissons depuis trente ans et il me met au pied du mur. Il aurait tout de même pu m'annoncer lui-même sa décision!

» A-t-il jamais trompé Madame Bibard? Il avait un faible pour la quarantaine potelée, en l'occurrence la mère Gromik, mon excellente concierge. Elle ne m'a pas caché que Bibard avait galamment "rafistolé" la clef de sa loge. Ce n'est pas à toi que je représenterai combien ce symbolisme est suspect. Le zèle de Bibard, au fond, ne me surprend pas. Apprends que l'artisan français donne exceptionnellement un coup de main à un copain, à titre de revanche; à une femme, seulement à titre d'hommage, ou d'approche amoureuse. C'est sa façon de lui faire la cour. »

Bien qu'habitant aux antipodes de Courbevoie, Huguette s'était offerte à prendre la poussière deux fois par semaine, à laver le plus gros, à regarnir le frigidaire. Il avait remercié du petit air évasif que prennent, à la fin d'un service funèbre, sous le porche de l'église, les parents du disparu. Indépendamment des tâches qu'elle expédiait peu ou prou, Madame Bibard était irremplaçable dans son cœur et dans son organigramme. Et comme s'il eût voulu, par un changement radical de discipline, prendre naïvement le deuil de cette défection, il se contraignait à rester chez lui l'après-midi : « Je ne le confesse qu'à toi : il m'arrive de me branler deux fois de suite pour n'être pas tenté de sortir. »

Les Bibard le comblaient de cartes postales qu'il me livrait à chacune de mes visites. Les conserver sur son bureau aurait entretenu son chagrin. C'était la vue générale de Marcillac-Vallon, dans l'Aveyron, à six cent vingt-quatre kilomètres de Paris. Une flèche au feutre rouge trouait un nuage pour signaler le toit d'une maison, la leur. Madame Bibard écrivait : « On est toujours en train de ranger, car, étant plus petit, faut compter les endroits. Malgré mon regret de Paris après y avoir vécu si longtemps, on sera obligé de se mettre à l'évidence. Votre dévouée Germaine Bibard. »

— Le roman, c'est bien à ce moment-là que vous le commencez?

— Sitôt partis les Bibard, pour exorciser la peine qu'ils lui causaient. Nous avions déjà notre titre : *Une femme à sa fenêtre.* C'est ainsi que nous la voyions, sans lui prêter d'autres aventures. Passant de Frieda à Charlotte, nous réinventions ses journées, son indifférence à la vie moderne, son allergie au téléphone et aux machines. Tout nous intéressait. Ses repas du soir : un verre de vin, un croûton de pain, deux tasses de café au lait. Son menu de fête : un jarret de veau aux petits pois. Les fruits qui lui plaisaient : l'ananas et les bananes, parce que, pensait-elle, ils poussent à portée de la main, ne nécessitent aucun travail et donc vous laissent des loisirs. Les animaux? Elle en voulait aux paysans, des sans-cœur, d'abandonner leurs vaches sous la pluie. Elle nourrissait les chats du voisinage, se ruinait pour eux en sardines et en hachis, mais ne souhaitait pas en posséder, pour mourir sans attaches.

Sur les Tziganes dont elle apercevait, de sa chambre, les roulottes en contrebas, elle tenait tête au facteur : « Ces gens-là ne sont ni sales, ni voleurs, ni plus bêtes que vous et moi! » Ainsi, nous faisions son portrait.

— Vous êtes retournés à Kreuznach ?

— Un samedi, pour l'emmener au restaurant. Elle s'apitoyait sur les serveuses, des femmes d'un certain âge, aux jambes lourdes, dont elle éprouvait la fatigue. Elle aurait voulu les seconder — mais nous l'en empêchions —, débarrasser la table, garder le même couvert pour la viande et le poisson.

— Deux ans plus tard, votre rupture était imminente. Elle m'échappe, étant donné ce livre qui vous associait, qui respire l'allégresse, qui paraît sous vos deux noms...

— Le sien, puis le mien, dans l'ordre alphabétique. Je me sentais à la traîne.

— Il n'était pas responsable de ton patronyme !

— Ce n'est pas ce que je voulais dire. Tu te précipites au lieu d'extrapoler.

Je t'ai résumé l'avant et l'après, les plaisirs et les scènes, la détérioration insensible.

— Sans oublier les coups de théâtre : le rendez-vous manqué, la relance téléphonique, l'interview.

— Ne force pas l'allure. Nous en étions aux signes prémonitoires. Ses visites avaient changé de couleur, la routine succédant au désir. Rappelle-toi : il ne m'embrassait plus, avait l'air absent, pressé, ennuyé.

— Sans que tu aies changé, toi ?

— Mes revendications étaient minimes. J'étais fidèle sans passion.

— Mais la sortie du livre...

— On ne peut plus gratifiante : presse exceptionnelle, vente inespérée.

— Alors quoi ?

— Je me le demande encore. Pas la moindre dispute, un conflit trop subtil pour éclater. Quand paraît le bel article d'Anthony dans *Le Monde*, il me le déballe d'un ton protecteur : « Je redoutais qu'il ne t'oublie, toi qui passais plus de temps à Göttingen qu'à Paris, ce qui est médiatiquement désastreux. Laisse-moi relire : tu es cité comme moi, ni plus ni moins, tout au long. — Je ne vois pas pourquoi il en serait autrement. — Anthony nous reconnaît à parts égales, je n'ai rien dit d'autre. Tu as l'air agacé... Fais-moi la grâce d'admettre, si éclatants que soient tes mérites, que ma situation parisienne, et tant de sacrifices consentis à des mondanités que tu réprouves, ne nous ont pas desservis. » Je ressens mieux aujourd'hui l'acrimonie de ses propos.

— En somme, le travail ensemble, oui, la publication, non.

— Imagine que nous ayons projeté ce roman comme une tâche indéfinie, que nous ayons veillé à son inachèvement, qu'il nous ait occupés non pas deux ou trois ans, mais une vie entière, jusqu'à l'extrême vieillesse, nous n'en serions pas là. Ni lui et moi, ni toi et moi. Tu ne serais pas là à m'interroger. Nous bavarderions d'autres choses.

— C'était son premier roman?

— Plus ou moins. Il avait entamé dans le goût ancien, comme un pastiche, une nouvelle dont me revient la première phrase : « A quinze ans, Hortense de N***, instruite au fond des couvents et n'ayant jamais vu la campagne, ne connaissait d'autres caresses que celles de ses supérieures. » Parfois, pour amuser une table, il récitait ces lignes en gloussant dans sa serviette.

— Votre livre est dédié à Huguette.

— J'allais y venir. Je m'en mords les doigts. Mes rapports avec elle viraient à l'aigre. Mon mariage en était-il la cause? Je ne m'étais pourtant pas rangé. Martine, naturellement accommodante, s'était persuadée que notre ménage pourrait faire pendant à celui de Poulet et d'Huguette, de sorte qu'il trouverait ses aises tantôt chez eux, tantôt chez nous, alternativement, comme une mère dont les enfants se partageraient la charge. C'était compter sans la noirceur, jusqu'alors insoupçonnée, et l'ingratitude d'Huguette. Que de fois ne suis-je pas intervenu pour elle auprès de lui !

Je me souviens, comme si c'était hier, d'un incident qui m'avait mis la puce à l'oreille : un coup de fil de Martine à Huguette. Elle l'invitait à prendre le thé du côté de la Madeleine. « Il faut remettre. Je suis absolument submergée », lui avait répondu Huguette d'un ton glacial et gourmé. Une fin de non-recevoir ! Forte de la dédicace d'*Une femme à sa fenêtre*, grandie à ses propres yeux, Huguette travaillait sourdement contre moi. Que pouvait-elle tramer ? Quels étaient ses griefs ?

— Mais voyons, ton mariage ! Ne l'as-tu pas flairé ? Elle s'était alloué un couple de célibataires. Tu dérangeais sa composition, tu lui filais entre les doigts.

— Une indiscrétion de Penaud m'avait édifié. J'avais fait sa connaissance longtemps après le projet de Göttingen dont il ne conservait qu'un vague souvenir. « Pourquoi diable, lui avait dit Huguette, au comble de l'énervement, ont-ils commis ce livre, eux qui travaillaient si bien en solo ? Quelle mouche les a piqués ? Frieda n'était que sa tante à lui. »

Penaud qui est sans malice et plutôt du genre à rationaliser, se perdait en conjectures : « Autrefois, j'aurais mieux compris, mais aujourd'hui ! Poulet vient de trouver du travail, et pas n'importe lequel, chez Dassault où il dirige tout un service, de traduction, je crois, grâce à son diplôme d'Oxford. Huguette devrait pavoiser. Elle n'enseigne plus qu'à mi-temps, pour le plaisir. Ils envisagent même de fonder un foyer. Je te laisse deviner qui serait le parrain. »

— Il me vient une autre idée : c'est que tu étais, toi, de trop, marié ou non, et que, peut-être — je m'avance prudemment —, tu l'avais toujours été pour Huguette. Les Bibard à la retraite, il était à sa portée. Enfin dans la place, elle allait pouvoir t'isoler. Relis Flaubert ou Huysmans : les femmes ne supportent pas les amis. Encore un peu de temps et elle caresserait son but : ton délaissement.

— Grâce à ce livre, simulacre d'alliance, dont elle lui serinait qu'il aurait été mieux avisé de l'écrire seul, pour en moissonner toute la gloire.

— Comment savoir ?

— Je n'en suis plus aux hypothèses. Dans la foire où nous avons signé conjointement notre livre, une journaliste de Bruxelles s'est approchée de moi : « Votre nom me dit quelque chose. N'est-ce pas vous qui avez fait ce merveilleux article sur le dodu et le coriace dans les *Contes* de Voltaire ?

» — Sur mon conseil, chère Madame, sur mon conseil. Il est tellement indécis ! » Regardant droit devant lui, il s'est mis à battre des mains vulgairement, sans se soucier le moins du monde des curieux penchés sur le stand. « Ainsi, vous nous venez du Brabant, chère Madame, comme ma tante Frieda, l'un de vos sujets, lointainement, il est vrai ; je crois me souvenir que la Lorraine ou Haute-Lotharingie avait été érigée en duché par Othon Ier, en 959. Voilà qui ne nous rajeunit pas ! » Il ne supportait pas d'être éclipsé.

— Il se détachait, c'est indéniable. En avait-il seulement conscience ?

— Peut-être qu'il luttait contre, pour son confort, parce que c'était un être d'habitudes et qu'il lui serait pénible de remeubler son cœur. N'empêche que tout, dans son comportement, détonnait. Alors, comme ces conjoints qui, dans l'accalmie précédant un divorce, inventent des trêves et des diversions, moins pour arranger les choses que pour réparer leur humeur, je lui proposai de reprendre un de nos vieux projets, un essai sur les grandes vacances, entre la fiction et l'histoire, où nous aurions fait parler tour à tour des recteurs de collège avec leurs dossiers, des mères de famille, des prêtres, des adolescents, les uns préoccupés, les autres impatients. La comtesse de Ségur, née Rostopchine, aurait eu le dernier mot. Je n'espérais pas des cris d'enthousiasme, mais tout de même...

— Il a refusé!

— Il a avancé les mains dans un geste de grande répugnance, comme pour dire : pouah! Puis il s'est radouci : « C'est vrai que le sujet est formidable! La mue des corps, l'autorité désemparée. Mais nous n'avons plus l'âge. Souviens-toi que je te l'avais proposé avec insistance, sur les bancs de l'université, pour sceller notre pacte. En ce temps-là, tu faisais le difficile! Étrange destin de notre amitié : nos élans n'étaient pas synchrones.

» Depuis ton séjour à Bonifacio et tout ce qui s'est ensuivi, la seule mention des vacances m'était devenue odieuse. Je ne supportais plus que Denise me chante la Grèce, ou Huguette les oasis. Ai-je été sot à ton retour de Corse! Je prétendais te brider, alors que tu étais parfaitement libre de tes fredaines, à Oxford ou à Sienne. Rien de plus légitime, je ne plaisante pas! — Tu ne vas pas recommencer. Je ne te trahissais pas. — Foin du passé! Si tu m'annonçais, à l'instant où j'allume ma cigarette, ton départ pour les îles avec Gladys ou Simon... — Ne sois pas ridicule, ce serait plutôt avec Martine. — Pourquoi pas? Je ne suis pas jaloux. Elle est très bien, Martine... je n'en serais pas fâché, au contraire, j'en éprouverais du soulagement. Il y a belle lurette que je n'appréhende plus les vacances. Reconnais que j'ai fait quelques progrès. Par exemple, je dépense dix fois plus, du moins pendant les soldes. Chez Charvet, pour deux ou trois chemises, je suis mieux traité qu'un émir. Friedman m'assure que nous avons bien travaillé, lui et moi. Le jour, a-t-il ajouté, où vous cesserez de caboter pour franchir l'Atlantique, vous n'aurez plus besoin de moi. Ce jour-là, inutile de vous décommander. Je conclurai de votre silence à votre mieux-être. »

— C'est peu après, j'imagine, qu'il est parti pour Cuba en tournée d'Alliance française?

— Denise, qui n'était pas bégueule, m'a

parlé d'un sordide bain de vapeur où l'aurait introduit notre Conseiller culturel. Compte tenu des dates, c'est sans doute là qu'il a été contaminé.

— Je m'empêtre dans ta chronologie. Après la Foire du Livre, vous ne vous voyez plus que par intermittence ?

— Pas du tout, je veux dire plus du tout. Pourtant, une après-midi, quelle surprise ! Il y avait une lettre de lui dans ma boîte. Comme je n'étais pas seul, je ne me suis pas pressé de l'ouvrir. N'avais-je pas suffisamment piétiné ?

— Tu as bien dû ressentir quelque chose comme un pincement de cœur en reconnaissant son invraisemblable écriture ?

— Des jambages filiformes, aériens, qui n'appartenaient qu'à lui. Quatre de ses lignes remplissaient une page entière ! Souvent, je lui en faisais la remarque : quand tu m'envoies une lettre de dix pages, c'est comme si elle n'en comportait que quatre ; je ne suis donc pas en reste.

Ce que j'ai éprouvé ? N'ai-je pas pensé que ce message m'était dû, qu'il présageait une reprise, mais que moi, meurtri et laissé pour compte, je commencerais par faire la petite bouche ? Oui, ce devait être cela : je ne fondais pas, je me cuirassais, en pure perte : la lettre n'était pas pour moi !

— Comment ?

— Il ne faisait rien comme tout le monde. Toi et moi, nous écrivons avant de mettre sous enveloppe. Lui rédigeait les enveloppes avant d'écrire les lettres. Ces enveloppes juxtaposées sur son bureau lui rappelaient le courrier en souffrance. Cette lettre, qui m'était indubitablement adressée, ne m'était pas destinée. Il s'était trompé d'enveloppe.

— Le beau lapsus ! Mais à quoi bon se demander s'il avait commencé par l'enveloppe ou par la lettre ? C'est l'enveloppe qui prime. Tu n'étais pas mort.

— Toujours est-il que l'enveloppe n'était pas timbrée. L'avait-il glissée dans ma boîte ? Je l'exclus : il se serait aperçu de sa méprise. Il avait dû la faire porter.

— Quel intérêt ! Il songeait à toi pour avoir griffonné ton nom et ton adresse.

— Calme-toi : la lettre était destinée à sa chère Huguette. Je me suis gardé de la réexpédier ; j'en avais trop gros sur le cœur ; j'allais d'humiliation en humiliation. Veux-tu que je te la lise ? Elle est incroyable. Par moments, on dirait du Saint-Simon, sur des sujets que tu chercherais en vain dans les *Mémoires.*

« Ma poulette aux seins amarante... » Les seins l'indisposaient. Jadis, dans Proust, il avait eu cette révélation : que les femmes jouissent par les seins. Il s'étonnait qu'on pût leur rendre hommage, sinon par pure civilité. D'où, peut-être, cette épithète qui, appliquée à Huguette, les réhabilitait.

> Ma poulette aux seins amarante, le prix des amitiés ferventes est qu'elles dédaignent les entraves mondaines de la politesse, les pudiques réserves, les hypocrisies bienfaisantes. Sache-le et tires-en les conséquences : je ne supporte pas de ne pas converser avec toi souvent. Or, je constate que, pour toi, il n'en va pas de même. Me résignerai-je, une fois encore, à être mal aimé? Sans briguer l'utopique réciproque, je ne puis m'empêcher de te remettre en mémoire certains événements proches qui m'ont fourni l'occasion de manifester, au prix d'une abdication crucifiante, toute la tendresse que je te porte.

— Abdication... Nous y voilà! Continue.

— Tu as sans doute essayé de m'appeler en

fin de semaine et je me grise à imaginer ton désarroi. Je rentre de Tourette où j'ai consacré trois jours au jeune Penaud, dans la maison qui a tes faveurs.

Nous avons rencontré Mag qui nous en a appris de vertes sur ton cousin Loux. Au Flore où je le croise de loin en loin, il m'a toujours battu froid. Dorénavant, il filera doux.

N'est-ce pas toi qui me questionnais sur ses mœurs? Ah! si ce n'étaient que les enfants! Il les charme, ce grand frère, joueur, farceur, sportif, mince comme un fil. Mais ce n'est pas tout! A peine ai-je salué Mag, qu'elle s'anime pour s'enquérir si je connais un certain Norbert Loux, cousin d'Huguette. J'acquiesce. Et voilà Loux désabusé, perdu d'honneur, sa noirceur démasquée. De quoi m'entretient-elle? Penaud en rougissait jusqu'aux oreilles : de la liaison de Norbert avec son chien, publique, officielle, dénoncée avec son cortège d'affronts et de hideux transports; la bête, tour à tour rebelle et aguichante, se dérobant et revenant, pour quelques caresses et morceaux de viande crue; ce feu vingt fois éteint, vingt fois rallumé, et, toujours au bout, la monstrueuse copulation. Le scandale s'augmente de la longue liste des enfants dont il ne cite que les prénoms, d'un ton détaché, pour tout salamalec de présentation, quand il ne se réclame pas d'une parenté dont la chimère galvaudée ne trompe plus personne. Et, ces temps-ci, juste avant notre arrivée, les rivalités sournoises des gamins trompés et du labrador, lequel ne cède pas sans aboyer la place chèrement conquise.

Comment Mag sait-elle tout cela? Voisine de Norbert, elle renifle, d'une fenêtre donnant sur la courette commune, cette odeur de soufre et de luxure.

Ce récit m'a honteusement excité. Mag s'est déclarée surprise de mon indulgence. Or, non seulement je ne suis pas révolté, mais je me promets de relancer le petit Loux.

Son ami souhaite à son amie une bonne semaine, tout en s'affligeant que cette amie ait un cœur moins ardent. Il y en a toujours un qui aime davantage!

— Je te donne mon sentiment? Il ne s'était pas trompé d'enveloppe. En te communiquant un récit dont tu aurais été autrefois le seul confident, il dévoilait aussi bien ta disgrâce que le triomphe d'Huguette, la commère de son cœur.

— Je passe sur des mois de silence. Nous sommes au début de l'été. Je m'apprête à partir pour Saint-Jean-de-Luz, quand je reçois ce billet : « Prière de m'attendre, coûte que coûte, chez toi, vendredi à 20 heures. Je n'aurai pas de retard. » Ni formule ni signature. Une minable carte de visite thermogravée. Huguette avait dû le convaincre que l'effet était le même, pour mille francs d'économie. Où n'a-t-elle pas fourré sa patte !

— Ainsi donc, il savait, en t'écrivant, qu'il ne se rendrait pas chez toi. En somme, ce rendez-vous avait pour raison d'être de n'avoir pas lieu. C'est fort de café, non ? Je comprends que tu aies pris ça pour un affront, la deuxième phrase surtout : « Je n'aurai pas de retard. » On n'est pas plus satanique !

— Je t'ai parlé d'affront ? Tu m'étonnes, à moins que je n'aie voulu, d'un mot, ponctuer l'événement. Entre ce vendredi noir et mon coup de téléphone, ruminant ce billet, à aucun moment je n'ai encaissé d'affront. Non, ce n'était pas de cet ordre. Il n'y avait même pas de retard, puisqu'il n'avait pas bougé, de chez Huguette sans doute, dont la nouvelle adresse lui convenait, à deux cents mètres de Pulcinella.

— Tu es tout près de l'excuser !

— Le mobile m'échappe plus ou moins, le

procédé non. Il se faisait violence en prenant une initiative radicale, correspondant à ce que nous étions l'un pour l'autre. Plutôt la cassure que l'amollissement !

— Vous ne manquiez pas d'intercesseurs, à commencer par Denise. Vous auriez pu vous expliquer devant elle.

— Denise, oui, si elle n'était morte soudainement d'un cancer qu'elle nous avait caché pour ne pas abîmer nos vacances. Mais sur quoi nous serions-nous expliqués ? Il n'y avait eu ni coups ni insultes, rien de spectaculaire. Denise qui, en toutes choses, tranchait à la bonne franquette, n'y aurait rien compris. Ni Kostas, son compagnon, qui, à l'inverse, se rencognait dans sa pleutrerie chaque fois que se profilait un divorce. Ni même Penaud, si fraternel, mais trop discret pour s'interposer, qui devinait ma peine et dont l'air attristé me faisait à lui seul un compliment de condoléance.

Qu'y avait-il à rabibocher ? Notre différend était ineffable et c'est bien pourquoi tu n'en finis pas de me pressurer.

— Ineffable et tragique, je l'admets.

— Comme le Cardinal de Retz dans le portrait de La Rochefoucauld, je m'éloignais du monde qui s'éloignait de moi, car j'étais soit harcelé de questions, soit, le plus souvent, mis en quarantaine.

J'évitais Saint-Germain, la rue du Cherche-Midi, Pulcinella, et ne faisais mes courses que très tôt, le mardi matin, à l'heure où il enfilait ses babouches et sa robe de chambre pour se diriger vers sa cuisine. Par excès de prudence, pour me rendre chez Barthélemy, je prenais la rue de la Chaise, renonçant à la rue du Bac, son itinéraire habituel. J'ai appris, beaucoup plus tard, par Poulet, qu'il usait de précautions analogues.

— Tu revoyais donc Poulet?

— Ni Poulet, ni, à plus forte raison, Huguette. Je te raconterai.

Pour se garder de tomber sur moi, il avait rayé de ses tablettes et Pulcinella et la rue du Bac.

Une phrase me trottait dans la tête : il n'aimera plus, n'écrira plus, ne sera plus aimé. De fait, hormis deux ou trois articles, dont le sien sur Baldung et le mien sur Heidegger et Lorca, nous avions, lui et moi, cessé d'écrire.

— Ainsi, de surcroît, vous rompiez avec vous-mêmes. Pourtant, il sortait et s'exhibait!

— J'étais au courant. On le découvrait, de la Huchette à l'Odéon, tirant vanité de son mal. Avant le lever du rideau, son imperméable roulé sous l'aisselle, il se redressait péniblement et se retournait vers la salle qu'il fixait d'un regard désolé. Ceux mêmes qui ne l'avaient pas connu le reconnaissaient pour avoir vu son visage unique sur la couverture de divers magazines. Il s'attardait sur le trottoir, l'air contrit et figé, sans plus jamais sourire : il en était devenu incapable. Penaud qui lui donnait le bras, l'avait entendu murmurer : « C'est trop bête, mais je dois faire avec. » C'était un mot de Madame Bibard.

Martine, à mes récits, sortait de sa réserve : « Que penses-tu de ses soirées? Elles m'effraient. N'est-ce pas le comble du divertissement? Il devrait, si dur que ce soit, se préparer à la mort, comme ce philosophe, également frappé, dont tu admirais la retraite. »

Je ne sais plus où j'en suis. Demande-moi si je n'ai rien oublié.

— Je te le demande.

— Il faut l'avoir connu dans sa famille, à l'âge de seize ou dix-sept ans. Les déjeuners étaient assourdissants, chacun s'efforçant à arracher la parole, son père, lui, ses deux frères, et à la confisquer. Tel était l'enjeu de leurs repas : la prise de la parole. Mais il avait une qualité insoupçonnée. De même qu'il parvenait, tout en travaillant, à ne pas perdre une note d'une sonate de Mozart, il savait écouter, pour peu qu'on pût placer trois mots. Il n'y répondait pas tout de suite : il les enregistrait pour vous les rappeler le moment venu.

— As-tu le souvenir d'une crasse qu'il t'ait faite, d'une saloperie quelconque ?

— A moi non, mais à Barnier, notre vieux professeur de philosophie. Il avait eu besoin de le consulter d'urgence, pour un livre auquel il songeait, sur certains événements politiques dont Barnier était le dernier témoin.

— N'est-ce pas Jean Barnier, ce fils de paysan, qui ne s'exprimait jamais qu'au présent de l'indicatif ?

— Dans ses livres comme dans sa conversation, il ignorait systématiquement les temps du passé. Nous nous amusions à l'imiter : il suffisait de mettre une phrase au présent pour réentendre sa voix !

Bien qu'au bout du rouleau, Barnier avait insisté à nous recevoir chez lui. Comme il ne conduisait plus depuis son infarctus, il nous avait priés, avec beaucoup de ménagements, de le déposer ensuite chez son médecin, rue d'Assas. Que crois-tu qu'il ait répondu ? « Vous me pardonnerez, Jean, de ne pas vous mettre à la porte de votre médecin, car j'ai rendez-vous, du côté de Saint-Germain, à la même heure. Je vous laisserai à Saint-Sulpice d'où vous n'aurez que dix minutes de marche. » J'ai failli m'emparer du volant. Quand j'ai appris, au plus creux de l'été, la disparition de Barnier, cet outrage me tenait encore à la gorge.

— Ne parlons plus que de toi. C'est, en gros, l'époque où tu t'installais à Paris définitivement. Un retour difficile, je présume, au lendemain de votre rupture.

— Je redevenais mon maître et il n'en résultait rien. Les après-midi surtout, qu'il avait gouvernées tant et tant, n'en finissaient pas. J'avais durablement ficelé, et relégué dans un placard, les paquets de notes rapportées de Göttingen. Enfermé dans ma chambre, je n'étais occupé qu'à tuer le temps.

— Tu l'as beaucoup aimé!

— Apparemment, je ne souffrais pas. Je n'avais plus ni chair ni mémoire. Autrefois, au moment de m'endormir, je ressassais, pour modeler mes rêves, des souvenirs de douceur : les soirées au café Brija, sur les remparts de Kairouan, Nefta au coucher du soleil, les dunes, encore sauvages de Chott Meriem, la petite mosquée d'El Hajra où j'allais me recueillir au sortir des souks. Le charme n'opérait plus. A peine rassemblées, ces images s'émiettaient dans le noir. C'est alors qu'il me rattrapait dans des apparitions terrifiantes.

Je le surprends sortant éméché de chez Régine, lui qui n'allait jamais en boîte. Il serre par la taille deux rombières extatiques. Je traverse le boulevard à sa rencontre. Sa joue gauche est tuméfiée, mais je ne peux pas ne pas l'embrasser. « Inutile de te forcer ! » Il se tourne vers ses compagnes : « C'est le baiser au lépreux ! »

Cette même nuit, à moins que ce ne fût le lendemain ou le surlendemain, je lui rends visite en compagnie de mes enfants, les bras chargés de cartons de pâtisserie. Huguette nous ouvre, en tablier de soubrette, et nous pénétrons dans une sorte de loft tenant du bloc chirurgical et de la salle de réanimation. Rien ne subsiste de l'ancien logement. Les cloisons ont été abattues, les murs grossièrement blanchis, les meubles et les livres enlevés. Descendant du plafond, une lampe scialytique ; dans un coin, un écran de contrôle, un tensiomètre, des bouteilles d'oxygène.

Nous enjambons précautionneusement un embrouillamini de câbles et de fils. Tout au fond de la pièce, il ricane sur son vieux lit. A ses côtés, légèrement penchée, une infirmière en minijupe, le corsage échancré, caquette au téléphone; des histoires de cœur; elle n'est pas près de raccrocher.

A peine les enfants se sont-ils approchés qu'il les renverse sur sa poitrine. Ils se libèrent en pleurant. Je distingue sur leur front un filet de sang, la marque d'une griffure. Il n'y a pas une seconde à perdre. Il faut appeler un médecin, une ambulance. Martine m'avait bien dit : « Pour les petits, je ne suis pas d'accord. Je refuse qu'ils servent de bouclier. » Fou de rage, je me jette sur l'infirmière, toujours au téléphone. Elle me repousse, je la frappe, il la protège d'un bras : « Tu ne vois donc pas que la ligne est occupée? De toute façon, il est trop tard. Ces garnements ne l'ont pas volé! »

— C'est monstrueux! Mais ce sont bien tes rêves que tu racontes?

— Il y en a un, le dernier, où je reprends l'avantage.

Résolu à le supprimer, j'étais certain de l'atteindre, non loin de la République, dans l'appartement d'un oncle qui m'accueillait, enfant, à la demande de mes parents, pendant les vacances de Pâques. Tout y était du plus mauvais goût, et, de plus, outrageusement astiqué, les parquets comme les meubles. C'est là que je l'ai poignardé. Le dos tourné, il était en train de lire. Il s'est écroulé sur la table. Je revois ma main passant et repassant sur la tache de sang qui, sitôt épongée, se redessinait sur la surface vernie. Un calvaire!

— Tu m'épouvantes. Ce n'est pas toi. Tes rêves n'ont ni queue ni tête.

— Qui sait? Je n'invente pas. C'est comme du mot à mot, de l'arrêt sur image. Tout est présent, je n'ai rien consigné.

— Vous vous êtes pourtant revus...

— A l'hôpital, peu après l'article sur Baldung. Penaud m'avait sommé de m'y rendre, avec une violence qui ne lui ressemblait pas : « Si tu n'as pas ce courage, tu t'en repentiras jusqu'à la fin de tes jours! »

— Poulet, que j'ai trouvé à son chevet, lui rafraîchissant le visage, a eu la délicatesse de s'effacer.

— Cela s'est passé comment?

— Il ne s'agissait plus de cela. Je ne lui reprochais que de m'abandonner. Nul n'avait à faire amende honorable.

— Ce n'est pas ce que je voulais dire. Vous vous êtes parlé ?

— Sa main dans la mienne, je répétais : « Tu es l'ami de ma vie. » Et lui : « Tu es un amour d'être venu. »

De quoi avons-nous parlé ? Je te le donne en mille : des formidables jouissances que nous devions à Saint-Simon ! « Il y a tout de même un livre qui aurait pu nous réunir encore, non pas sur les vacances, mais sur Saint-Simon... Un répertoire de l'insolence. Trop tard pour moi, mais toi, penses-y ! — De l'insolence et des impairs ? — Non, laisse-moi réfléchir, "impertinence" vaudrait mieux : De l'impertinence dans les *Mémoires* de Saint-Simon. Quel sujet ! Les cuistres ne s'en remettront pas. Tu n'as pas oublié la colère de la duchesse de Berry à l'arrivée de sa mère, la duchesse d'Orléans... — Elle est à sa toilette quand un huissier du Roi, étourdi et malappris, ouvre les deux battants de la porte. — L'imbécile ! Ils ne s'ouvraient que pour les fils et les filles de France ! »

Sa mémoire semblait intacte, mais il peinait à former ses phrases. La syntaxe lui échappait. Confus et mortifié, il se concentrait de longues minutes avant de poursuivre : « Je passe du coq à l'âne. Saint-Simon répugnait aux excès de table et à l'obésité. On s'empiffrait à la cour du Roi. » J'enchaîne avec la marquise de Châteauneuf, d'une prodigieuse grosseur et qui, sa vie entière, n'avait presque pas bougé de sa chambre. « N'oublie pas Monseigneur, fils de Louis XIV, dont tout le mérite était dans sa naissance, et tout le poids dans son corps. La férocité de Saint-Simon !

» A propos de Monseigneur, mort en 1711, tu serais un amour de me procurer les pages où, dans un invraisemblable désordre, le Roi reçoit les révérences de deuil. »

— Entre lui et toi, les choses se sont-elles vraiment passées ainsi ?

— Plus ou moins, je crois. Sa fin était la moins triste possible. Pour de bonnes et de mauvaises raisons, il était très entouré.

J'ai donc reparu le lendemain matin avec ce morceau des *Mémoires* :

> « Il est difficile que la variété des visages, et la bigarrure de l'accoutrement de bien des gens peu faits pour le porter, ne fournissent quelque objet ridicule qui démonte la gravité la plus concertée. Cela arriva en cette occasion, où le Roi eut quelquefois peine à se retenir, et où même il succomba une fois, avec toute l'assis-

tance, au passage de je ne sais plus quel pied plat à demi abandonné de son équipage.

— Tu auras compris que ce rustaud perdait en route une partie de son costume, de son *équipage*... Qui dressera jamais la liste des fous rires de Louis XIV ? »

Jubilant et brisé, il avait écouté ma lecture.

Je l'ai embrassé une dernière fois.

Comme je tirais doucement la porte, il m'a rappelé : « Si l'on te demande de mes nouvelles, tu répondras que je suis aux abonnés absents. »

Achevé d'imprimer le 25 janvier 1996
sur presse CAMERON,
par Bussière Camedan Imprimeries
à Saint-Amand-Montrond (Cher)
pour le compte des éditions Grasset
61, rue des Saints-Pères, 75006 Paris

N° d'Édition : 9944. N° d'Impression : 1/100.
Dépôt légal : janvier 1996.

Imprimé en France

ISBN 2-246-51741-9